Onuitwisbaar

A.L. KENNEDY

Onuitwisbaar

Uit het Engels vertaald door
Arthur de Smet

DE GEUS

De vertaler ontving voor deze vertaling werkbeurzen van de
Stichting Fonds voor de Letteren en het Vlaams Fonds voor de Letteren

Vlaams
Fonds
voor de
Letteren

Deze vertaling is mede mogelijk gemaakt dankzij een bijdrage van
The Scottish Arts Council

Scottish
Arts Council

Oorspronkelijke titel *Indelible Acts*, verschenen bij
Jonathan Cape, Londen
Oorspronkelijke tekst © A.L. Kennedy, 2002
Nederlandse vertaling © Arthur de Smet en De Geus bv, Breda 2009
Omslagontwerp Robert Nix
Omslagillustratie © hh/Nonstock/Holger Winkler
Druk Hooiberg Salland, Deventer
isbn 978 90 445 0376 0
nur 302

Mo rùn geal òg
Mijn schone jonge lief

Inhoud

Verantwoording

Eerdere versies van sommige verhalen zijn verschenen in *Grand Street*, *Harlot Red* (Serpent's Tail), *New Writing 6* (Vintage) en *Shorts* (Granta Books) of zijn te beluisteren geweest op BBC Radio Four.

De auteur is dankbaar voor haar verblijf in Lewisboro, New York, als gast van The Writers' Room.

GESPAARD

Dingen konden met één letter misgaan, dat wist hij nu. Eentje maar.

'Eerlijk gezegd, ik woon hier al tien jaar.'

Hij had het zo vreselijk, zo aangenaam makkelijk gevonden om het te zeggen: 'Eerlijk gezegd, ik woon hier al tien jaar.'

Hoogstens was de w een beetje dik geweest, een kleine aarzeling daar die had kunnen suggereren dat hij stotterde, of een ogenblik inhield om de jaren te tellen. Uiteraard had niemand kunnen raden wat hij had willen zeggen: 'Eerlijk gezegd, ik ben getrouwd.' In de loop van één medeklinker was alles veranderd.

Hij had in de rij gestaan voor de kaaswinkel. Het was zijn briljante idee geweest om naar de kaaswinkel te gaan, naar de specialist. Hoewel zulke plekken hem ergerden en hem ervan doordrongen dat er op deze wereld te veel geld werd uitgegeven aan allerlei domrnigheden, toch was hij naar de handelaren in louter kaas en aanverwante zaken gegaan om iets lekkers te kopen voor Kerstmis, een traktatie. Natuurlijk waren er dertig anderen op hetzelfde idee gekomen en de mensen stonden door de hele winkel heen tot buiten aan toe aangeschoven, en nog een stuk op het trottoir, ieder op eigen wijze ineengedoken en afgewend van de vlagerige natte sneeuw. Er was een luifel, maar die bood geen soelaas. Eigenlijk had hij toen gewoon naar huis moeten gaan, maar om de een of andere reden deed hij het niet.

In plaats daarvan bleef hij staan, zette zijn kraag op en

tuurde, net als iedereen, door het raam van de kaaswinkel, waar de kaasverkopers nijver en een beetje pedant rondstapten met hun witte laarzen, witte jasjes en witte mutsen. Dat hij zelf niet zo dol was op kaas, dat zijn handschoenen veilig en warm in de auto lagen, en dat het een absurd staaltje van zelfkwelling zou zijn om nu te blijven wachten – geen van deze zaken stoorde hem. Integendeel, ze schenen hem een pervers genoegen te bieden: een zeldzame kans om een onaangename taak te verrichten die geheel zijn eigen keuze was.

Zijn tevredenheid had, precies zoals het hoorde, een soort vrolijke spanning in zijn borst veroorzaakt, die hem ertoe had gebracht zich om te draaien en tegen niemand in het bijzonder te zeggen: 'Het zijn net tandartsen, nietwaar?' en vervolgens te glimlachen.

'Ja, tandartsen. Of dierenartsen misschien. Kaasartsen.'

En hij was zich half bewust geweest van een meisje dat achter het winkelraam met één haal van de draad soepel het witte hart van het een of ander openlegde, maar vooral was er de vrouw geweest die achter hem in de rij had gestaan, een vrouw die hij nooit eerder had ontmoet, en toen was er die gedachte geweest, heel zachtjes maar onmiskenbaar: *mijn god, wat heeft zij een prachtige stem.* Een gedachte die heel zelfverzekerd en hongerig geweest was, precies zoals hij altijd had willen maar nooit echt had kunnen zijn.

Hoewel de gedachte in feite niet helemaal juist was – haar stem was perfect.

Hij kon haar bijna horen als hij zich concentreerde, nu hij zoals gewoonlijk slapeloos op bed lag, grijnzend als een nachtlichtje omdat hij zich de smaak van haar 'misschien' en haar 'ja' kon voorstellen.

Zijn rechterarm, de arm die in bed het verst van Karen af lag, zijn minst echtelijke arm, hield hij gebogen, met de pols gerieflijk onder zijn hoofd genesteld, zodat hij tenminste behaaglijk slapeloos kon zijn. Hij probeerde te ademen alsof hij niet wakker lag, niet hulpeloos lag te woelen in zijn rusteloze geest, zijn ogen niet opende en sloot tussen twee soorten donker om te zien welke de beste achtergrond vormde bij het beeld van een vrouw die niet Karen was, die in niets op zijn vrouw leek.

Donkere jas, vooral donker door het water, maar ook praktisch en warm – nu glipten zijn gedachten naar zijden voeringen, maar hij haalde ze terug – een goudkleurige sjaal die haar kin bedekte – mooi vond hij dat – en zo'n vreselijk wollig bergwandelaarshoedje, dat hij in dit geval prachtig vond, omdat het van haar was, omdat zij het droeg.

Hij was onmiddellijk hopeloos, reddeloos gecharmeerd geweest. Een besef dat zijn adem kort deed zwellen, gevolgd door een zucht.

'Greg, alsjeblíéft.' Waarmee Karen niet bedoelde: 'Greg, alsjeblíéft, martel me met je verrukkelijke mannelijkheid, nu en de rest van de nacht, tot ik in tongen spreek.' Ze bedoelde – half in slaap maar toch beslist, ze was altijd beslist – 'Greg, alsjeblíéft, val onmiddellijk in slaap of ga naar de logeerkamer en laat mij met rust, want morgenochtend moet ik weer vroeg op en naar mijn werk, net zo vroeg als jij.'

Daarom liet hij zich, als een toegewijde en attente echtgenoot, steunend op een arm en een knie uit bed glijden, waarna hij wankel maar geruisloos overeind kwam en afdroop. Dit was ook vóór de rij bij de kaaswinkel al wel voorgevallen, dat hij 's nachts zo verbannen werd: Greg had in maanden niet goed geslapen. De stilte door het kussen bij zijn oren riep algauw het beeld van doodskisten bij hem op, en als hij dommelig was had hij vaak een sensatie van morbide, schokkerige afdaling, alsof hij in een vreemd kleverig graf werd neergelaten. Hij leed aan nachtelijke zweetaanvallen.

Toen hij onder het ontbijt tegen Karen gegrapt had dat een variant van het victoriaanse doodskistalarm hem misschien op zijn gemak zou stellen, had ze niet om zijn problemen kunnen lachen. Hij had geprobeerd, hoewel hij doodmoe was geweest, om het idee op speelse wijze nader uit te werken, en hij had voorgesteld om inderdaad een koordje om een vinger te knopen, in de hoop dat zijn onderbewuste zich veilig verbonden zou wanen met het handige belletje dat in voorzichtiger tijden bedacht was om een premature begrafenis te voorkomen.

'Je moest het maar weer eens met die pillen proberen, om de cirkel te doorbreken.'

'Van die pillen viel ik overdag in slaap. Ik kan me niet veroorloven om op kantoor steeds met mijn hoofd op het bureau betrapt te worden, de mensen zouden nog denken dat ik leef.' Hij zei het op een toon van zelfverachting en zonder boosaardigheid, maar toch.

'Dat doe je ook. Alleen schijnt jouw leven niet met dat van mij te verenigen te zijn.' Háár toon was luchthartiger, maar haar ogen hielden hem een angstig moment gevangen voor ze de toast omdraaide. 'We moeten een broodrooster kopen.'

'Ik zal er een halen.'

'Dat vergeet je toch, dat doe je altijd.'

'Ik haal er een. Morgen: vandaag kan ik niet.'

'Mm hm.'

Greg verfoeide dat, zoals ze alles afsloot met haar favoriete passief-agressieve geluidje, een instemming die geen instemming was – *mm hm.*

'Mm hm.'

Maar op andere ogenblikken, op andere plaatsen, was het een goed geluid. Op dat andere ogenblik, die andere plaats, was het perfect geweest. 'Mm hm. Het zouden dierenartsen kunnen zijn, nietwaar... Ja.'

Hij schikte zijn ledematen in de kilte van het logeerbed en herinnerde zich die afschuwelijke pauze, toen het gesprek dreigde te stokken, te eindigen, en hem aan de rij had kunnen overleveren, hem opnieuw kopje-onder had kunnen doen gaan in het stinkende moeras van zijn nachten en dagen. Hij had geweten, op een manier die pijn deed aan zijn oren, dat hij zijn schoenen verafschuwde, zijn niet waterdichte schoenen, dat hij slordig geknipt was en dat zijn haar helemaal niet om aan te zien was als het nat was, en dat er naakte regendruppels aan zijn gezicht kleefden, precies waar ze niet thuishoorden – als onwelkome oorbellen, tranen, snot – maar hij had zich groot gehouden, hij had zijn kin opgeheven, hij had zijn zeer persoonlijke, sombere buitenkant doorbroken en ingeademd. En terwijl hij haar met knipperende ogen aankeek, had hij begrepen dat zijn situatie wellicht, mogelijk, toch nog geheel ten goede kon keren. Misschien kon hij worden wat hij wilde zijn, zonder breuk of verlies, want ze glimlachte, ze glimlachte alleen naar hem.

Gregs handen repten zich naar zijn zakken en naar een rafelige lap die snel tot een grauwe prop transformeerde, 'Godschristus, wat een dag', en hij depte zijn gezicht, oprecht biddend dat hij minder onnozel zou klinken als hij opnieuw zijn mond opendeed.

'Ja, maar het loont de moeite.'

En hij besefte dat ze het over de kaas had, dat ze alleen maar zei dat die verdomde kaas het wachten waard was, maar toch moest hij slikken, moest één hand in de andere nemen, en kon niet verhinderen dat hij struikelend terugkwam met: 'Ja. Zo is het. Hoop ik. Nee, weet ik. Natuurlijk. Ja.' Toen stiet hij een opmerkelijk lelijk lachje uit dat – in godsnaam – onmiskenbaar aan een paard deed denken.

'Ik geloof niet dat al deze mensen hier normaal ook komen, het ligt puur aan de kerst, denkt u ook niet?'

Is ze alleen met de kerst of met iemand anders, iemand die haar gezicht mag aanraken?

'Het kan niet alleen vanwege de kerst zijn...' *Spreek haar niet tegen – waar ben je in godsnaam mee bezig?* 'Ik bedoel, ik bedoel...' *Wil je haar soms kwaad krijgen?* 'Ze moeten toch soms wel eens klanten hebben, ze blijven immers open...' *Nee maar, wat een sprankelende observatie. Goed gedaan, godverdomme.*

'Misschien is het alleen maar een dekmantel voor de CIA.'

Goddank, dank u, God. 'Nu u het zegt, ik heb eens gezien hoe ze een winkeldief doodschoten...'

'Zoals bij een criminele afrekening, met een demper op het wapen?'

'Absoluut. Uiterst professioneel.'

'O, maar dan is het een uitgemaakte zaak. Beslist de CIA. Of MI5.'

Ik wil haar likken. Nu. De regen uit haar ogen. Alleen maar likken. 'Vindt u dat we ons geld hier nog wel heen kunnen brengen?'

'Jawel, maar alleen als zij ons kaas geven.'

Toen waren ze echt aan de praat geraakt: over de absurditeit van Kerstmis, over de tropische reizen die ze geen van tweeën zouden ondernemen, over het idee van kaas, dat maar vreemd was, als je erover nadacht.

'Ik bedoel – kaas – daar kom je niet zomaar op.' Hij voelde zich warmer, hij voelde zich langer, hij voelde hoe het lot tegen hem aan schurkte met een goed, een uitstekend plan. 'Kaas.' Zijn tong bewoog bijzonder lenig in zijn mond, alsof er meer lag in zijn woorden dan er doorgaans mee bedoeld werd. 'Maar wie zou het bedacht hebben, wie kan geweten hebben hoe het moest?'

'Precies, het is net zoiets als met gist in brooddeeg, of meringues, vooral meringues. Wie had ooit kunnen vermoeden dat er dát met een ei zou gebeuren als je het maar hard genoeg afranselde?'

'Ik geloof dat de correcte term "kloppen" is.' Terwijl hij dacht – 'Maar afranselen kan ook, ongetwijfeld' – wel móést denken – 'Er moet een verloren meringuetijdperk zijn geweest' – dat eiwit zo op geil leek, dat het net geil was.

Geil. Er was geen plek waar zijn verbeelding niet wilde gaan en hij was zo gretig om te volgen dat hij er bijna bang van werd.

Ik vraag me af hoe ze klinkt als ze klaarkomt.

'Het meringuetijdperk.' Ze gaf hem een goedkeurend klopje op zijn onderarm. 'Natuurlijk, het verloren meringuetijdperk. Een tijd van rust en toevallige experimenten met voedsel.'

Ik zal te weten komen hoe ze klinkt als ze klaarkomt. Ik zal er zijn en ik zal haar horen en zien. Ik moet.

Niks aan de hand, het zijn maar gedachten.

Zijn ogen zaten dicht en hij kon ze zo snel niet open krijgen. *Onder haar knie, in de kromming van haar knie zou zweet staan. En tussen...*

'Trouwens, uw accent... Als u het niet erg vindt dat ik het vraag, maar waar komt u eigenlijk vandaan?'

Eindelijk kreeg Greg zijn ogen weer open, en met verholen blik raadde hij de vorm van haar dijen, van haar achterwerk, naakt uitgestald voor zijn hand; en hij zag haar gezicht. Zij ontmoette zijn blik, leek hem volledig in te drinken terwijl hij probeerde een zin te construeren: 'O, ik... Mijn accent? Tja, vroeger woonde ik in Engeland.'

'Aha, Engels – als ik het niet dacht. En u bent nog niet zo lang hier?'

Een kleine knoop van wroeging en ongeduld schoot los aan de basis van zijn brein en voor hij zichzelf ervan kon weerhouden, had hij haar gezegd: 'Eerlijk gezegd, ik woon hier al tien jaar', wat niet eens echt gelogen was.

Daarna was er geen houden meer aan geweest, zijn wil liet hem geen ruimte, zelfs niet voor een aarzeling. Tegen de tijd dat ze tot in de winkel gevorderd waren, was hij er zeker van dat hij het spel kon spelen, dat hij er een kleine repetitie van kon maken en doen alsof hij boodschappen deed met een vriendin, een sekspartner, een vrouw die nooit zou lijken te walgen als hij haar vroeg hem af te zuigen, die nooit uit stille wraak met kleine schokjes zou klappertanden, om zijn geplengde nat ten slotte door te slikken alsof het alleen maar wreed en buitenissig was en niet iets van hem.

Boodschappen doen met Karen was ook niet bepaald opwindend: het was alsof hij inkopen deed met zichzelf, maar dan trager en duurder. Het was een van de dingen die ze samen deden waaraan hij nooit ook maar enig plezier had beleefd. Maar die dag in de rij was anders geweest, de dag waarop hij met iemand anders boodschappen had gedaan.

'Dit is idioot.'

'Wat?' Ze stond bijna, bijna tegen hem aan geleund terwijl de kaasverkoper voor hen allebei twee stukken afsneed, een om zelf te houden en een om te ruilen, zoals ze hadden afgesproken. 'Wat is idioot?'

Greg had zijn hoofd gebogen en van dichtbij gesproken, dichtbij als een kus bij haar oor, omdat het passend was onder de omstandigheden en omdat hij hoopte dat ze het prettig zou vinden. 'Dat we al zo'n tijd staan te praten, bijna een halfuur, en nu samen kaas staan te kopen...'

'Wat iets heel persoonlijks is.' Ze grapte en was serieus tegelijkertijd, daar hield hij van. Daar genoot hij van.

Zo verleid je iemand, nietwaar. Wie had ooit gedacht dat ik nog zou weten hoe. En dit is het juiste ogenblik, misschien mijn laatste kans om het te proberen.

'Ja. Uitermate persoonlijk.' En Greg maakte nu beslist geen grapjes. 'Maar we weten niet van elkaar hoe we heten. Dat kan nooit de bedoeling zijn.' Opnieuw boog hij zich dicht naar haar toe en fluisterde zacht: 'Of wel soms?'

'Amanda.'

'Serieus? Dat is fantastisch.' Omdat hij bezeten was geweest van de dwaze angst dat ze misschien Karen zou heten, of iets wat op Karen leek. 'Prachtig.' Niet dat er iets was dat echt op Karen leek.

'Hoezo?'

'O... ik weet niet – omdat het bij je past. Zoiets. Ik ben Greg. *Zeg mijn naam.* 'Dus nu kennen we elkaar, dat is mooi.' *Zeg mijn naam.*

'Greg. Oké. Geweldig.'

Zeg mijn naam als ik in je ben, en waarschijnlijk zal ik huilen.

Amanda stond te wachten op een ons olijven – hij hield niet van olijven, maar zij was vrij om dat wel te doen – toen hij haar vroeg: 'Luister, je telefoonnummer ken ik ook niet, of wel soms?' Waarmee hij er meer vaart achter zette dan verstandig was, maar hij moest nu snel naar huis: hij was al bijna te laat, zijn zaterdagse avondeten stond ongetwijfeld al te verpieteren in de magnetron. 'Het is alleen dat ik graag een keer koffie met je wil drinken...'

'Koffie met me drinken?'

'Eh...' Hij keek naar haar mond. 'Ja, ik hou van koffie. Alleen kan ik niet nu, ik ga... vanavond uit met... niemand.' Mooie mond. Prachtige mond. 'Maar ik moet... weg en dus... Als ik je nummer had, zou ik je kunnen bellen. Het is de heer die opbelt, toch? Heb ik dat goed begrepen?'

Het was niet zijn bedoeling geweest om haar aan het lachen te maken, maar hij vond het prachtig toen ze het deed. 'De héér? Dus je bent een heer?'

Hij controleerde haar ogen. 'Soms.'

Ze bleef precies lang genoeg zwijgen om hem een enorm plezier te doen. 'Oké.'

Amanda had een pen bij zich gehad maar geen papier, en ze ontdekten dat de kaaswikkels allemaal vettig waren waardoor de inkt niet pakte, dus had hij verrukt zijn mouw opgerold en haar het nummer op de binnenkant van zijn pols laten schrijven.

Hij had het geheim de hele avond laten zitten en het zonder zich om het risico te bekommeren met zich meegenomen naar bed. Van het gekriebel van haar pen had zijn huid urenlang getinteld, tot hij zich moest terugtrekken in de andere kamer, vrijwillig, en zich op de dekens had uitgestrekt, stijver dan hij in jaren geweest was. En bijna een kwartier lang was hij alleen nog maar harder geworden, uitgespreid als een zeester, en hij had geprobeerd de geur van haar haar op te roepen. Daarna, heimelijk in de gesloten badkamer, was hij twee keer klaargekomen: de eerste keer in een soort verwrongen waas, de tweede keer melancholieker, leeg. Tegen de tijd dat hij terug in zijn bed stapte, was hij volkomen eenzaam geweest. Hij droomde kort van een onbestemde apocalyps en schrok wakker met de gedachte dat hij haar hals kuste.

Greg kon niet meer in deze kamer zijn zonder dat er een spoor van die nacht doordrong, alsof ze werkelijk bij hem gekomen was en dit hun bed geworden was. Alsof hij zijn eenzaamheid in deze kamer had uitgezweet en niet in een andere.

'Ik wil alles zien.'

'Wat?'

Nadat hij koffie had gedronken met Amanda, en een keer samen met haar geluncht had, had hij er een hele avond uit weten te slepen, helemaal voor zichzelf. Ze hadden gegeten in Amanda's flat, waarbij zijn verbeelding voortdurend met hem op de loop was gegaan, en toen was ze naar de keuken gegaan om het dessert te halen.

'Ik zei dat ik alles wil zien.'

Hij had zachtjes een olijf tussen zijn wijsvinger en duim gerold, hopend dat hij het rotding misschien weg zou kunnen krijgen als hij er een suggestie van geilheid aan gaf. Hij had Amanda maar één keer een beetje kunnen kussen sinds hij was aangekomen, en misschien zou het daarbij blijven: misschien vonden vrouwen hem niet aantrekkelijk als ze hem eenmaal leerden kennen, misschien was hij te oud: hij had geen idee en hij maakte zich zorgen. Maar toen had ze geroepen: 'Ik wil niet dat we het licht uitdoen.' Ze stond in de deuropening en was even blijven staan, twee bordjes met citroentaart in haar handen. 'Ik wil niet dat we onze ogen dichtdoen of ons verstoppen onder het dekbed, alsof het niet echt gebeurt. Ik wil alles zien.'

'O.' Hij had willen slikken, maar hij had geen spuug gehad. En hij wilde geen taart.

'Heb ik wat verkeerds gezegd? Ik wilde niet...'

'Ik wil ook alles zien.' Zoiets zou hij normaal nooit bekennen. 'Ik wil je...' Misschien omdat het meestal toch geen zin had.

'Wat wil je?' Ze zette de bordjes op tafel terwijl hij zich omdraaide in zijn stoel om haar aan te kijken. Hij zag haar op zich afkomen en pas stoppen toen haar knieën de zijne raakten. 'Ik heb geen bezwaar. Ik dénk dat ik geen bezwaar zal hebben – wat?'

Met een gekromde vinger streelde hij haar buik door haar bloes heen, steeds lager, en hij was zich bewust van een aangename, gespannen hitte, 'Ik wist het alleen niet zeker...' en hij begreep waarom ze hem de hele avond niet had aangeraakt. 'Ik wist niet hoe ik erover moest beginnen...' Ze had geweten dat ze niet meer zou ophouden als ze eenmaal was begonnen. Hij hoopte dat het dat was. Of misschien had ze geweten dat híj niet zou ophouden als ze eenmaal begonnen was. 'Je bent vast niet beledigd als ik zeg dat ik meteen al met je wilde neuken toen we elkaar leerden kennen.' Ze vouwde haar handen om zijn achterhoofd terwijl hij opkeek en zijn mond uitspraken deed die hij nooit van zichzelf verwacht had. 'Nu... nu we elkaar beter hebben leren kennen en ik je graag mag en van je hou, waarschijnlijk, wil ik met je vrijen, maar ik wil ook met je neuken. Ik wil het allebei.'

Amanda wreef met haar neus over zijn schedel. 'Goed dan.'

'Bedoel je dat het in orde is?' Hij fluisterde, bang dat hij het zou verknoeien.

'Dat zei ik ja. Ja. Het is in orde. Wil je eerst je taart?'

'Nee, ik hoef niet. Echt niet, ik weet het zeker. Nee. Ik wil niet.'

'Hou je niet van citroentaart?'

'Amanda, alsjeblíéft.'

Ze hadden niet genoeg tijd, niet zoveel als hij gewild had. *Ik had wel een week willen hebben. Zeven dagen, met kleine onderbrekingen voor een hapje eten, dat was wat ik nodig had om eraan te wennen, om aan haar te wennen. Ik bedoel, iemand, een vrouw die...*

In zijn verbeelding dook hij opnieuw in de catalogus van gewaagde dingen die hij wilde uitproberen. Met Amanda lagen ze voor de hand en gebeurden. Bovendien had ze over elk ervan een mening, en kleine hebbelijkheden in de uitvoering. Iedere keer als hij haar probeerde te choqueren, choqueerde ze terug, ontleedde en verruimde ze zijn favoriete fantasieën met haar klinische genot, haar realiteit. Dit alles zonder dat hij had kunnen verhoeden dat hij uit zelfbescherming ineen was gekrompen, de eerste keer dat ze hem pijpte, ook al deed ze het op een manier die hij zich van niemand ooit had kunnen voorstellen, met een prachtige, zielloze vastberadenheid. Ze deed hem geen pijn, was alleen onberispelijk krachtig en soepel, omklemde hem alsof ze een tourniquet zette op zijn laatste restje gezond verstand.

Amanda had hem heel snel losgeweekt van elke illusie die hij had kunnen koesteren omtrent wie hij had willen zijn. Greg herinnerde zich dat hij het gordijn van haar douche had opengeschoven en hen samen gezien had, gevangen in het zweet van haar badkamerspiegel, zijn gezicht dat hem aanstaarde vanuit een zepige configuratie van bevend roze, zijn ogen onmiskenbaar angstig.

Om twee uur was hij thuisgekomen en meteen de logeerkamer binnengeglipt. Hij had zich heerlijk gekneusd en geschandaliseerd gevoeld. Nog steeds wakker had hij de dageraad over het plafond zien kruipen, en hij was bijna verbaasd: ergens had hij zich voorgesteld dat de dag nu anders zou beginnen, of eenvoudig niet zou aanbreken, omdat al het nodige volbracht was. Een kou van angstige verwachting sloeg hem om het hart, en misschien was het de angst voor ontdekking, dat hij het zou moeten opgeven, of misschien was het de angst dat hij het geheim zou kunnen houden en er dus mee door moest gaan. Hij voelde zich niet lekker, dat was alles – hij kon niet zeggen dat hij zich lekker voelde.

'Een kater?'

Natuurlijk had hij gedacht dat Karen bij het ontbijt zou raden wat hij gedaan had. Maar nee.

'Nee, ik denk dat ik griep krijg.' Dit was een geschenk, en zo bedoelde hij het ook, het soort leugen dat ze met plezier onder het vergrootglas legde.

'Je was niet voor één uur thuis, dat weet ik zeker – dus heeft het griepje misschien te maken met de hele nacht opblijven?

Gaan we daar een gewoonte van maken?'

Ik zou eraan kunnen wennen, ja. Het is niet iets om bang voor te zijn.

'Nee, ik maak er geen gewoonte van. De mensen van de afdeling Verkoop – je weet hoe ze zijn. Ik moet ze tevreden houden zo nu en dan.'

Het is alleen dat ik het niet gewend ben. Straks ben ik er weer bovenop.

'Blij dat je het ten minste íemand naar de zin maakt.'

Greg, zijn gezicht in een passende schuldbewuste frons, had iets voelen stollen toen hij Karen tersluiks aankeek en ontdekte dat ze glimlachte. Ze had besloten om plagerig maar welwillend te zijn. Hij had geen flauw idee waarom, en wilde het eerlijk gezegd niet weten ook: hij had het te druk met plat voorbereidend denkwerk.

Ik kan met geen mogelijkheid snel genoeg een avond vrijmaken. Maar we kunnen op zaterdag neuken, op een zaterdagmiddag.

Zijn vrouw liet hem een Beechams' powder nemen en kuste hem op de lippen voor hij op weg ging naar zijn werk. Hij had zich absoluut niet schuldig gevoeld, alleen een beetje vreemd, alsof hij een voorbestemd pad volgde dat hem in de greep had, dat hem verrukte, dat hem kwetste en onderhuids deed gloeien.

Nu had Greg bijna hetzelfde gevoel, een soortgelijk schuren van beladen verwachting. Hoewel hij ook uitslag had: daar moest hij rekening mee houden, een nerveuze aandoening waar hij in geen jaren last van had gehad. In de vouw van beide ellebogen en op beide schenen hadden zich geïrriteerde plekken van rode speldenprikken gevormd. De dokter had hem een zalfje gegeven; het ongemak zou ongetwijfeld voorbijgaan en Greg had niet willen horen dat het met stress te maken had. Soms staarde hij naar zo'n plek en vroeg zich af of die niet op een ochtend betekenis kon krijgen, zich om kon vormen tot de naam Amanda. Of iets ergers, een boodschap die hij niet wilde verdragen.

Het digitale rood van zijn wekker gaf 05.42 uur aan. Hij had hem op zes uur gezet, maar hij kon net zo goed nu al opstaan. Karen zou zich voor zeven uur niet vertonen, en tegen die tijd moest hij eigenlijk alles al gedaan hebben.

Hij schoor zich niet omdat het niet nodig was, bracht de zalf aan volgens de aanwijzingen op de tube, trok snel een overhemd en spijkerbroek aan en haalde zijn tas onder uit de kleerkast. Veel zat er niet in: een paperback, tandenborstel en pasta, een schoon overhemd, een onderbroek en een Gideonbijbel die hij onlangs had meegepikt uit een hotel. In de keuken stopte hij er nog een pak chocoladebiscuitjes bij en twee appels, alsof het er echt toe deed wat hij meenam. Toen hij nog een veelbelovende jongeling met ruggengraat was en bergwandelingen maakte voor zijn Duke of Edinburgh Award, had hij altijd gezorgd voor een pak chocoladebiscuits en wat appels in zijn verplichte knapzak en er was hem nooit iets overkomen. Reden genoeg om ze ook vandaag mee te nemen – ze zouden hem misschien zekerheid geven, wat belangrijker was dan geluk.

Het was pas halfzeven toen hij zijn koffiekopje omspoelde en besefte dat hij kon gaan omdat hij niets meer te doen had. Dus vouwde hij zijn regenjas over zijn arm, glipte de achterdeur uit en trok hem zachtjes achter zich dicht. Hij had de auto een straat verderop geparkeerd zodat Karen het niet zou horen als hij de motor startte en wegreed.

Een uur later had hij de stad ver achter zich gelaten en reed door donkere coniferenbossen. De dageraad was bijna onmiddellijk in wolken gesmoord en om een uur of tien regende het dat het goot; het geroffel van water boven zijn hoofd maakte dat zijn auto knus en solide leek. Hij zette de radio aan en stuiterde langs de zenders – niets wat hem echt beviel of tegenstond – maar uiteindelijk bleef hij hangen bij een station dat alles in het Gaelic deed. Vanmorgen wilde hij informatie die hij niet kon begrijpen, nieuws dat geen opschudding bracht, dat hem niet aanging. Nu en dan scheerde een kraai in duikvlucht over de weg, om als een natte bult neer te strijken zodra hij het sombere pluche van de bomen aan de overkant bereikte.

Toen Greg merkte dat hij honger had, stopte hij in een klein stadje achter een sluier van regen en lunchte in de cafetaria van een souvenirwinkeltje. Het eten was vreselijk – olieachtige thee, een treurige kaassandwich, een afstotelijke rozijnenscone – maar het deerde hem niet, dit lag nu eenmaal in de aard van dergelijke zaken en er hoefde geen punt van gemaakt te worden, nu niet meer. Hij scharrelde wat rond tussen de uitgestalde souvenirs, samen met een stel doorweekte toeristen en de drie onvermijdelijke bergwandelaars. Hij kocht de meest nutteloze dingen die hij kon vinden en hij straalde naar de verkoopster, die braaf een aardewerken paardenhoofd, een video van een doedelzakband en een Pringle-golfsweater inpakte.

'Is deze voor uzelf?'

'Hm?'

'Deze is extra large. Medium is al vrij groot...' Ze nam hem op met een keurende blik.

'Geen probleem. Ik ga hem toch niet dragen.' Hij trok een grijns die naar hij hoopte een gestoorde indruk maakte en beantwoordde haar blik. Ze vertrok geen spier.

Terug in zijn auto met zijn aanwinsten, reed hij door naar het noorden, deze keer zonder de radio aan te zetten.

De ellende is dat ik niet zeker kan zijn dat ik gelijk heb. Eerder omgekeerd, ik kan er bijna zeker van zijn dat ik geen gelijk heb.

Maar stel dat ik wél gelijk heb.

Als ik gelijk heb, is dit hoe het moet zijn – ik alleen met mezelf, tevreden. Zo dicht bij tevreden als ik maar zijn kan.

Het idee moest zich een tijdje terug in hem genesteld hebben, om zich slechts te vertonen in irritant kleine stukjes, die zich openden en rondkringelden in zijn onbeschermde slaap: nu eens de smaak van as, dan weer het gevoel dat de hemel verdwenen was. Uiteindelijk had het al zijn aandacht opgeëist toen hij de derde keer samen met Amanda was – hun hoteldebuut. Voor zover Karen wist, zou hij op zaterdagochtend vrij vroeg uit Glasgow vertrekken voor een afspraak met een vriend en om een goedkope computer op te halen. De betreffende computer stond al op zijn kantoor, gekocht met klinkende munt van een man op de afdeling Verkoop. In werkelijkheid, de heerlijke werkelijkheid, zou hij die zaterdagochtend vrij vroeg met Amanda naar Edinburgh rijden, met de bedoeling om een aantal uren door te brengen in of rondom een hotelbed. Daarna zou zij de trein terug naar huis nemen, in de veronderstelling dat hij een zakendiner moest bijwonen, gevolgd door een vreselijk saai congres dat de hele zondag zou duren. Hij zou een halfuur wachten of zo, dan uitchecken met een excuus dat hij nog steeds niet volledig had uitgedacht en naar huis gaan nadat hij eerst de computer had opgehaald. Het was allemaal nogal ingewikkeld, maar het kwam erop neer dat hij ruwweg vijf uur vrij had voor seks. Afgezien van wat ze wellicht onder het rijden zou doen.

Ze bleek echter een onverwacht gedweeë passagier te zijn.

'Ik wil je niet afleiden terwijl je rijdt.'

'Ga gerust je gang.'

'Ik wil dat je er helemaal bij bent met je gedachten als we het doen. Ik kan wachten.'

Dus moest hij dat ook doen, maar zodra ze hadden ingecheckt en de lift waren binnengegaan, beloonde ze hem voor zijn geduld.

'Ik draag er niks onder. Kijk.'

'Jezus christus, stel dat... dat er iemand binnenkomt.'

Maar zodra hij het gezegd had, kon het hem niets meer schelen. 'Shit, dat is grandioos.'

'Weet ik.'

Zijn plan voor de dag viel pas in duigen, die sluimerende gedachte sloeg haar klauwen pas naar binnen, toen hij op Amanda neerzag, gebogen over de stoel, het bleke vlees van haar rug koel onder zijn palmen. Ze stond zo volmaakt tegen hem aan gedrukt en haar wervelkolom vormde zo'n begeerlijk golvende boog en ze kon zich met geen mogelijkheid omkeren om hem in de ogen te zien en zijn blik te ontmoeten, dus had hij het haar toen gezegd: 'Trouwens, ik ben getrouwd.'

Amanda vertraagde hun bewegingen maar hield niet op, 'Weet ik', ze leek hem eerder te vragen om dieper te gaan.

En dat deed hij, verbijsterd maar hitsiger dan hij de hele middag geweest was. 'Dat weet je? Hoe?' Veel hitsiger dan hij kon verdragen.

'Je draagt kleren die je hebt uitgezocht om iemand anders een plezier te doen. Ze passen niet bij je, niet echt, in ieder geval.'

Hij zou snel klaarkomen als hij niet voorzichtig was. 'En?' Ze maakte het moeilijk om voorzichtig te zijn.

'We neuken op een zaterdagmiddag in een hotelkamer.'

Dat gaf de doorslag, er was geen houden meer aan, waarna hij zachtjes wiegend op haar rug lag, zich slechts geleidelijk bewust van zijn gutsende zweet. 'Je vindt het niet erg?' Zijn mond voelde vreselijk zanderig aan, vreemd.

'Ik ben er toch?'

'Maar je gaat niet...' Hij moest oppassen wat hij zei.

'Dit is wat ik wil.'

'Mijn god.' Woorden stuiterden geruisloos onder zijn schedel: 'Ik hou van je.'

'Je bent heel lief.'

Toen had Greg uitgerust op de sprei met Amanda doezelig naast hem, zich wonderwel voegend naar zijn lichaamsvormen. Ze hadden nog twee uur, dan zou ze op weg gaan naar huis, maar hij voelde zich onnatuurlijk slaperig en hij begon juist weg te dommelen toen iets hem leek te treffen in zijn hoofd. Een hoorbare kleur. Een kink van licht.

Nee. Niet nu. Nee.

Dit gevoel van nakende ondergang, de dreiging van hitte onder al zijn woelige en onbevredigende dromen, de gruwelijke overtuiging dat hij zijn hand maar hoefde uit te strekken, in zijn slaap, om aan het einde van alles te raken – hier had hij het, bij zich, onmiskenbaar.

Maar dat zou ridicuul zijn.

Niettemin schrok hij wakker van het moment en zijn hals verkrampte.

'Wat is er?' De stem van Amanda. 'Greg?' De vrouw die het terminale slot had dichtgeknipt, die hem hier alleen mee had opgesloten.

'Niets. Ik droomde. Niets.'

'Wil je soms nog een keer? Hm?' De vrouw die hem er likkend en rukkend en bokkend bij vandaan kon houden. 'Mijn gulzige jongen?' En nu zou ze moeten ook, ze was het aan hem verplicht.

En hoewel hij niet wilde, niet op dat moment, hoewel hij haar eigenlijk wilde omhelzen, of iemand omhelzen, of alleen maar omhelsd wilde worden, 'O... ja,' dwong hij zichzelf om opnieuw te beginnen, 'waarom niet?' omdat ze het hem toestond, 'ja.' Omdat het hem iets te doen gaf. 'Ja. Laten we het nog een keer doen.'

Het einde der dagen. Lieve Heer, het komt, het Einde der Dagen.

Hij was ruwer geweest dan hij prettig vond voor hen allebei, en toen ze vertrokken besloot hij de bijbel te stelen.

'Wat moet je daar nou toch mee?'

En hij had haar niet kunnen vertellen dat het belachelijk was, maar dat hij zich desondanks veiliger zou voelen als ze hem bij zich hadden in de auto.

Er zijn zo veel data voor het Einde van de Wereld: je leest erover in de krant als de dag al voorbij is, terwijl je geen flauw idee had, je zou niet gewaarschuwd zijn geweest als ze gelijk hadden gehad...

Niemand kan het met zekerheid zeggen. Niemand. Ik ook niet.

Ondanks dit alles had hij Amanda afgezet, de computer opgehaald en hem thuis afgeleverd, samen met zichzelf, terwijl hij in zijn hoofd de lijst afdraaide van alle dieren waarvan hij zich meende te herinneren dat ze aardbevingen voelden aankomen of werden gewaarschuwd voor calamiteiten.

En sommige mensen krijgen dit gevoel als er naaste familieleden gestorven zijn. En tweelingen...

Toch was het onnozel om te denken dat hij de enige zou zijn, de enige mens die zich bewust was van zoiets kolossaals. Het was belachelijk. Al sinds die dag in het hotel probeerde hij zich dit voor te houden.

En inmiddels geloofde hij, bijna oprecht, dat zijn herhaalde voorgevoelens en de plotse zekerheid van die ene middag alleen maar bewezen dat hij een uiterst masochistisch type arrogantie bezat. Deze autorit naar het noorden was vooral therapeutisch. Het had eigenlijk niet zoveel met het einde van de wereld te maken. Hij ging weg om uit te rusten – en hij had sinds zijn vertrek volstrekt geen last van zijn uitslag gehad: dat bewees dat hij er behoefte aan had om er even uit te zijn, en dat was precies wat hij deed. Hij had besloten om van de komende middernacht tot de volgende hier alleen te zijn, maar meer voor de noodzakelijke rust dan omdat hij verwachtte dat het einde der tijden nabij was.

Ik geloofde niet dat het met het millennium zou gebeuren, dat zou wat al te passend zijn geweest. Toen voelde ik geen angst. Niet

meer dan gemiddeld, tenminste. Het soort angst dat iemand in
mijn positie nu eenmaal voelt.

Het was nu acht maanden geleden dat hij Amanda had leren kennen en meer dan zeven sinds ze voor het eerst de liefde hadden bedreven. Ze hadden een patroon gevestigd, haar afwijking van de normaliteit.

'Dat hoef ik niet. Ik heb het je gezegd, ik heb wat ik wil.'

Hij had geprobeerd haar geschenken te geven: 'Het is maar een sjaal... Je hebt niks van me.'

'Toch wel.' Ze begon zijn riem los te maken.

'Heb je geen zin om te praten? Voorpret...' Soms, als ze hem aanraakte, dacht hij dat het opnieuw kon gebeuren: die uitbraak van ledigheid, van eindigheid. 'We kunnen een kop koffie gaan drinken en dan...'

'Dat hebben we al eens gedaan.'

'Dit hebben we ook eerder gedaan.'

'Maar dit is veel interessanter. Je hebt vast nog nooit sodomie bedreven.'

'Nooit...? Uh, nee.' Zo ging ze steeds te werk, ze prikte door zijn angst en zijn betere ik heen met iets onweerstaanbaars. 'Denk je dat het snel zal gebeuren?' Ze zorgde dat hij zichzelf vergat.

'Ja, ik denk van wel.'

'In dat geval...' Hij wilde zichzelf vergeten. 'Vooruit dan.'

De herinnering daaraan, om haar zo te zien, maakte dat er wat bloed wegzonk om zijn diepten te peilen. Hoewel hij er niet echt van genoten had, wilde hij het ondanks zichzelf nog een keer doen. Er was veel dat hij ondanks zichzelf opnieuw wilde doen.

Hij zette de radio weer aan en bleef afstemmen tot hij muziek gevonden had en draaide het volume op. Na een paar kilometer kwam Greg bij een stuk weg dat voor een groot deel blank stond. Zonder zich om zijn motor te bekommeren reed hij op de plassen af en liet fontein na fontein over zijn voorruit tuimelen, de vloeibare inslagen schraapten onder het koetswerk. Daarna voelde hij zich rustiger, en hij bedaarde nog meer van de vlakke dalbodem om hem heen, van het trage draaien van de bergen die zich voor hem openden en achter hem sloten.

Omdat er een minieme kans was dat het de laatste keer zou zijn, hield hij stil langs de kant van de weg om te zien wat voor strepen en flarden licht de ondergaande zon door het wolkendek zou dwingen. Hij liet de auto staan en liep door het wilde, druipende gras, en verder het zwiepende, wiegende heidekruid in. Hij ging liggen, terwijl de vallei zich in schemer hulde, en er viel regen op zijn gezicht en hij maakte zich los van Amanda en Karen, van de misère van opwindende dingen, de bittere vertroostingen, van alles. Ergens riep een wulp en toen heerste er diepe rust. Hij gleed weg in een volkomen pijnloze slaap.

Het was de kou die hem wekte. Greg beefde al voor hij volledig wakker was. De grond om hem heen rook nog naar de zomer, maar het lichte briesje was kil en hij was doornat – overal behalve midden op zijn rug. Hij stond op in een verwarring van stijfheid en kou en werd onmiddellijk bevangen door een grote angst voor het donker, kon zijn horloge niet onderscheiden, had geen idee of het al middernacht was geweest, of dit het nou was. Toen struikelde hij over een woekering van wortels en viel neer op een plek waar hij zijn koplampen kon zien, die er gelukkig nog waren, helder op een manier die betekende dat hij de accu niet verpest had door ze te laten branden.

Ik wilde niet dat dit voorbij zou zijn, niet alles. Ik haat het, maar ik wilde niet dat het verdwenen zou zijn. Of misschien wilde ik niet dat het mij in de steek zou laten.

Veilig terug in de auto startte hij zonder problemen de

motor, trok een schoon overhemd aan en moest ook zijn roze
sweater aandoen, om op te warmen. De mouwen waren lang
genoeg om als wanten te dienen, wat een weldaad was.

Ik wilde niet dat het mij in de steek liet.

Voorzichtig keerde hij en hobbelde terug de straat op, ging
weer op weg. Zijn horloge gaf kort na tweeën aan, wat betekende dat hij niet zo goed had opgepast. Dit kon de grote
dag zijn, als een veer om het begin van het grote moment
gespannen. Ieder ogenblik. Het Einde kon hem al overrom-
peld hebben. Hij kon het gemist en nooit geweten hebben.

Maar ik heb het mis. Er gaat niets gebeuren. Ik zal door niets in
de steek gelaten worden, daar moet ik nu toch echt zeker van zijn.
Ik heb geen reden om daaraan te twijfelen.

Ik heb het mis en morgen om middernacht zal ik het weten.

Dan hoor ik gelukkig te zijn.

Morgen om middernacht moet ik gelukkig zijn.

Gelukkig

Dat hoor ik te zijn.

WACHTEN OP EEN
ONGUNSTIGE REACTIE

Het is onmiskenbaar, organisch, de smaak van iets levends.

'Bah, wat is dat smerig.'

Ze gaat verzitten in haar stoel terwijl de dokter naar zijn koelkast loopt.

'Smerig?'

'De smaak. Krijg ik geen snoepje voor straks?'

'Nee.' Hij draait zich om met een flauwe glimlach. 'Geen klontje suiker erbij en geen snoepje voor straks.' Terwijl hij rustig tussen de smalle, zacht glanzende schappen rommelt: 'Suiker is slecht voor je en dingen die slecht voor je zijn worden hier nooit verstrekt.'

'Een stukje fruit dan misschien?'

'Dit is een spreekkamer, geen restaurant.' Hij hoest een klein lachje op en permitteert zich een grapje: 'En dat is een Schots medicijn – als het vies smaakt, moet het wel werken', waarna hij haar aankijkt om te zien hoe ze het opneemt.

Ze grimast terug, niet echt ongelukkig, en laat de smaak om haar tong zwemmen, in de hoop dat hij zal verflauwen. Onder de prikkeling van verspreidend zout, het koude aanvangsgewicht van het vaccin, heeft de smaak iets vertrouwds. Ze weet dat de herkenning zal komen als ze zich concentreert.

Haar dokter komt op haar af, zijn handen genereus om een voorraadje goed gekoelde inentingen gevouwen: het begin van elke geslaagde vakantie.

'Ik moet beide armen gebruiken.' Terwijl hij de verpak-

39

kingen klaarlegt en de eerste naald eruit scheurt: 'Tetanus en hepatitis aan deze kant...' ligt er een heilzame grijns op zijn gezicht; 'difterie en tyfus aan de andere.'

Iets aan deze terloopse opsomming van plagen is op een vreemde manier weldadig, een troost voor haar. Ze krijgt bescherming; een deel van haar bloedstroom verwelkomt een vreemde substantie, zodat er niets mis kan gaan als ze met haar hele lichaam naar het buitenland reist.

Ze slikt en staat korte tijd stil bij de kwestie Gordon. Gordon krijgt geen bescherming, omdat hij niet met haar meekomt, omdat hij niet van het buitenland houdt. Hij mag haar, maar hij heeft niets met het buitenland. Zij houdt van het buitenland. Ze houdt ook erg van de gedachte aan het buitenland.

'Ik doe u geen pijn.' Behoedzaam zuigt de dokter een dosis ziektekiemen op.

'Dat weet ik. Maar die spuit.'

Ze stroopt haar mouwen op in de hoop dat ze op haar bovenarmen voldoende vlees heeft te bieden. Ze doet haar bloes liever niet uit. De onderzoeken van haar dokter zijn in het verleden altijd strikt medisch en kies geweest, met een assistente discreet op de achtergrond voor het geval een intiemere inspectie noodzakelijk mocht blijken. Maar toch, je uitkleden is altijd gênanter dan je laten uitkleden – onhandig uit de kleren moeten terwijl de dokter wegglipt en de assistente schuifelend op witte crêpezolen door de steriele stilte ademt en toekijkt. Bepaald geen pretje. Maar dat zal vandaag niet nodig zijn.

Hij knikt, 'mooi', en duwt dan een soort knijpende pijn in haar huid, houdt even vast, dept eromheen, trekt dan terug en dept nog een keer. 'Is het heel erg?'

'Nee. Helemaal niet.'

'Mm. Ik ben echt heel goed in injecties. Ik oefen nog

steeds, ziet u? Ik ken er genoeg die dat niet doen. Hoe gaat het met de polio?'

'Ik proef het nog steeds. Eerlijk gezegd geloof ik dat het erger wordt. Het doet me denken aan... ik weet niet waaraan.' Hij geeft haar een nieuwe injectie terwijl ze nog zit te peinzen. *Dat was gemeen.*

'Sommige mensen zien liever niet wat er gebeurt.'

'Het is mijn arm, ik hou het liever in de gaten.'

'Dat kan ik goed begrijpen. Nu de andere kant nog en we zijn klaar. We vragen u alleen om nog een paar minuutjes te wachten, voor het geval er een ongunstige reactie optreedt.'

Zodra hij dit zegt voelt ze haar bloedsomloop versnellen, een uitbraak van vreemdheid, maar niets wat ze ongunstig zou willen noemen. Haar bloed wordt als wijn veredeld, met iedere prik beschermt de wetenschap haar beter tegen de natuur.

'U bent gespannen, het wordt pijnlijk als u zich niet ontspant.'

'Sorry.'

'Geen zorgen. U hebt zich een heel geduldige patiënte betoond. En, de laatste. Zo. Blijft u lang in het buitenland?'

'Een maand.' Een maand zonder Gordon, waarin ze zal proberen hem te bellen, hem zeker kaartjes zal schrijven en desondanks bezocht kon worden door steeds heftiger aanvallen van wat ze gerust opluchting mocht noemen. Ze voelt de symptomen nu al opkomen.

'Fantastisch, een maand.'

Een hele maand van wellicht ongeneeslijke opluchting.

Ze wordt waarschijnlijk ontslagen als ze terugkomt. Ze heeft de mogelijkheid van een ontslag op staande voet al ingecalculeerd. Ze merkt dat het haar geen angst inboezemt – niet zoals een ziekte zou doen, of een maand thuiszitten met Gordon en zijn lijst van dingen waarover ze niet mogen praten.

'Ja, ik heb mijn vakantiedagen opgespaard.' Ze zwijgt terwijl ze probeert zich de smaak van polio te herinneren en waar ze die eerder is tegengekomen; dan weet ze het en ze glimlacht. 'En ik meld mezelf vier dagen ziek.'

'Echt waar?' Hij pauzeert voor een typisch medische pose: de ampul hoog in de lucht, een schittering bij zijn naald en een van nature koele maar uiterst vaste hand. 'Wat zou er mis kunnen zijn, naar uw professionele mening?' Zijn stem ontspant zich tot een soort knipoog – iets waarin zijn ogen niet kunnen volgen, om redenen van professionele distantie en betrouwbaarheid.

'Mis? O, waarschijnlijk een griepje. Waarschijnlijk geen tyfus of hepatitis of...'

'Of tetanus, difterie of polio. Ja, ik denk dat een griepje waarschijnlijk het beste is. Naar mijn professionele mening.'

Of polio. Ze likte langs haar tanden en glimlachte opnieuw. Op hun tweede trouwdag afgelopen lente, toen Gordon erom gevraagd had en ze eindelijk had toegegeven, toen hij zijn zin had gekregen – toen had hij zo gesmaakt. Dat wurgende kloppen in haar keel, steeds opnieuw, en toen het opgewarmde poliovaccin. Het smaakte precies zoals hij.

'Als u zo lang wegblijft...' De dokter denkt na boven haar dossier. 'Ik kan u een volgend recept voor TriNovum meegeven.'

'Waarvoor?'

'De pil.'

Het paspoort waarmee Gordon haar kan bereiken zonder haar zwanger te maken.

'O ja, dank u wel.'

'Geen problemen, de menstruatie is normaal?'

'Geen enkel probleem.' Dit kan ze zeggen omdat het snel weer zover zal zijn en het dus net zo goed nu al kan zijn: haar hoop blijkt onverwacht resistent tegen ieder tegengif.

Ze wacht terwijl hij de druk van haar veranderende bloed meet, zonder zich te storen aan de knellende band, en ze neemt, louter uit beleefdheid, het recept aan voor een oraal contraceptief dat ze misschien nooit zal gebruiken, in ieder geval niet met Gordon.

'Dank u wel.'

'Tot uw dienst.' Hij opent de deur zodat ze aanstalten kan maken. 'Een prettige vakantie.'

'Komt in orde.'

Ze beseft dat haar adem als ze spreekt de vage bijgeur heeft van iets wat zweemt naar de smaak van zaadvocht. Ze is zich bewust van iets wat lijkt op de weeheid en scherpte van geil. Ze beseft dat haar echtgenoot naar een voorzichtig aangezoete ziekte smaakt. Maar uiteindelijk lijkt ze volkomen immuun te zijn geworden.

EEN ONBERISPELIJKE MAN

'Ja.' Heet klein woordje, een beetje bozig, heel compact, uit de grond van haar hart. 'Ja.'

Meer zei ze niet.

Hoe oud was ze? Hij kon het niet aan haar afzien. Haar geboortedatum stond in de papieren en het kostte hem bepaald geen moeite om uit te rekenen dat ze tien was, maar hij zou haar zo twaalf hebben gegeven, of nog ouder, omdat ze er zo moe uitzag en zo volkomen roerloos was. Dit betekende dat hij uitputting en bewegingloosheid ergens met ouderdom moest associëren. Bij hém had het zeker met de leeftijd te maken.

Tien. Lieve hemel, wat heeft ze in godsnaam allemaal al meegemaakt? Wat kan ze in hemelsnaam wéten? En nu zit ze hiermee.

Haar kleren als die van haar moeder, netjes en schoon, maar treurig, op een trieste manier vloekend. Het tweetal kleedde zich op de vlucht, uit koffers en uit wanhoop, stelde hij zich voor. De moeder droeg de verkeerde schoenen voor dit weer en ze wist het en het kon haar niet schelen. Soms deed een scheiding dat met mensen, maakte dat ze bijbels wilden handelen, alsof ze op het punt stonden hun kleren te verscheuren en as in hun haar te doen. Hij had het eerder gezien.

De dochter zat alweer te staren, ze hield haar blik op een betekenisloos punt op zijn bureaublad gevestigd en toonde hem haar voorhoofd in plaats van haar gezicht. Ze probeerde zich door een soort zelfhypnose voor al zijn inspanningen af

47

te sluiten, terwijl hij allang duidelijk had gemaakt dat hij geheel aan haar kant stond en alleen onaangename vragen moest stellen om te bepalen wat ze werkelijk wilde. De volledige en accurate vervulling van al haar wensen lag vrijwel zeker ruim binnen zijn mogelijkheden. Ze kon en ze zou krijgen wat ze hebben wilde. Dit was iets wat zelden of nooit gebeurde tijdens iemands levensdagen en hij bood het haar aan, alsof het haar natuurrecht was. Hij was haar vríénd.

'Ik ben je vriend, dat weet je toch, hè?'

Ze leunde verder naar voren, met haar ellebogen op haar knieën, en hij vroeg zich af of ze hem wel verstond, hoewel er een korte huivering over haar rug trok als hij sprak. Zat ze altijd met zulke ronde schouders of kromp ze slechts tijdelijk weg voor dingen? In de zomer zou ze niet zo bleek zijn, dat wist hij zeker, en ze zou weer kunnen glimlachen. Natuurlijk kon ze dat.

Haar moeder ging verzitten, zoals gewoonlijk met een gezicht alsof ze op het punt stond in tranen uit te barsten. Toch huilde ze niet. Wel zo kies. Niettemin was er geen reden om haar incasseringsvermogen al te zeer op de proef te stellen. De noodzakelijke antwoorden had hij toch al.

'Mooi. Dank je wel. Je bent heel duidelijk geweest. Als je bij je moeder wilt blijven en niet n...' De aandacht van het kind wierp zich onverhoeds op hem en hij moest het woord inslikken. '... naar je vader. Sorry. Níét naar je vader.' Hij voelde hoe de sfeer zich ontspande. 'Dan zullen we proberen te bewerkstelligen dat het gebeurt. Mooi. Ik maak het in orde. Dat is mijn werk: ik regel dingen.' Hij hief zijn hoofd op naar de moeder, liet zijn stem bekoelen, en sprak in het passende, professionele tempo. 'Als u het niet erg vindt... Wilt u me even excuseren?'

Het meisje verroerde zich niet toen hij langs haar liep, hoewel zijn jasje minstens haar arm geschampt moest hebben. De vormelijkheid eiste dat hij even stilhield bij de moeder, een flauwe buiging maakte vanuit zijn middel en de vluchtige, felle glimlach beantwoordde die wanhopig wilde suggereren dat haar dochter van haar hield en dat zijzelf om die reden nog steeds in essentie beminnelijk was.

Hij knikte en tuitte zijn lippen ten teken van zijn instemming en betrokkenheid, of ten minste van een bereikte verstandhouding, of alleen om aan te geven dat hij haar met goede reden even alleen liet. Zijn afwezigheid zou hen gelegenheid bieden om te praten en hun gevoelens te laten bedaren. Zo konden ze elkaar op passende wijze liefde tonen en tot rust komen, voor hij zich weer bij hen voegde in het naargeestige spreekkamertje waar het altijd te warm was, het licht onvoldoende en de rubberplant bijna dood. Jezus, het was afschuwelijk – het pastelkleurige moteltapijt en het ongenaakbaar smaakvolle meubilair dat degelijkheid moest suggereren en een weloverwogen besteding van het geld van de cliënt, onbezoedeld door onredelijke tarieven en andere buitensporigheden. Hij moest er echt even uit – de menselijke geest kon slechts een beperkte dosis gesponsd terracotta verdragen.

De thee die hij aanbood werd afgeslagen. 'Iets voor het meisje dan? Melk? Limonade? O nee, dat hebben we niet.'

'Echt niet, Mr. Howie. We hebben niks nodig.'

Liever dan de moeder een schouderklopje te geven, wat ze volgens hem niet op prijs zou stellen, rechtte Howie zijn rug en knikte haar opnieuw vertrouwelijk toe.

'Als ik u morgen kan bellen, kunnen we het misschien over de alimentatie hebben. En ik geloof dat Mr. Simpsons opmerkingen over de voogdij weinig uit zullen halen: doorzetten zou pure geldverspilling zijn.' Haar ogen schreiden hem plotseling aan. 'Ik ben zo terug, Mrs. Simpson. Neem me niet kwalijk. Goed dan.'

Buiten op de gang voelde Howie zich meteen gereinigd. Hij verfoeide de benauwenis en de paniek, de vreselijke kneedbaarheid van woorden – alle parafernalia waarmee cliënten en de wet omhangen waren. Zijn werkende bestaan begon een vreemde, hardnekkige geur aan te nemen, zoiets als de gevangenislucht die hij nooit uit zijn kostuums kon krijgen als hij een cliënt had bezocht in zijn dagen als strafpleiter.

Hij bleef stilstaan en trok zijn schouders naar achteren tot zijn ruggengraat een reeks droge klikken liet horen. Hoe kon hij de tijd het beste vullen... Hij kon een telefoontje plegen of een plas doen. De plas won het pleit.

Maar eerst waste hij zijn handen en gezicht, om de ellende onder zijn vingernagels weg te krijgen en zijn huid te verkoelen.

Toen kwam Salter binnen. Howie wist zonder op te kijken dat hij het was. Salter had de gewoonte om onder het lopen half te fluiten en half tussen zijn tanden te blazen. Natuurlijk waren er mensen die zich eraan stoorden, maar Howie vond het geruststellend. Het was een bijna melodieus geluid, genoeglijk en onmiddellijk herkenbaar. Salters geluid was deel van hem, net als de geruisloze schoenen, meestal van suède, en het spleetje in zijn ondergebit, waar hij met zijn tong tussen friemelde als hij nadacht. Als je aan hem dacht terwijl hij er niet was, waren dit de dingen die je allereerst te binnen schoten. Maar vooral zijn fluitje.

Howie stond rechtop, onhoorbaar ademend, en schoof zijn duim een stukje langs zijn pik en weer terug; hij voelde zich voor gek staan en in de nek gekeken. Salter. Een goede man, Salter. Hij zag eruit alsof je hem gerust in vertrouwen kon nemen. Als je ooit een bekentenis had af te leggen. De onderkant van Howies nek voelde vreemd aan, het kriebelde een beetje.

Tot hij een krachtige druk op zijn borst voelde en omlaagkeek, half verwachtend daar bloed aan te treffen, of iets wat even vreselijk en belachelijk was. Een onverbiddelijke beklemming sloot zich om zijn ribben.

Kut. O, shit. O, kut.

De armen van een man fixeerden hem, de handen samengevouwen boven zijn borstbeen. En hij kon zien waar zijn eigen handen machteloos op hun plaats werden gehouden, met in één ervan zijn pik, terwijl hij nog stond te pissen, omdat hij het niet kon helpen, want als je eenmaal staat te pissen en het punt gepasseerd bent, kun je niet meer stoppen en zul je door moeten pissen tot je je blaas geleegd hebt. Dit was een misselijke streek.

Het is een grapje. Moet haast wel. Alsjeblieft.

Hij schudde zijn hoofd zonder het te willen en voelde een hoog, ongepast geluid aan zijn keel ontsnappen.

Het is een gevecht. Maar het is Salter. Dit zijn de handen van Salter. Ik kan niet met Salter vechten. Hij zal winnen.

Een resolute zucht gleed langs hem heen en Salter liet zijn kin zakken, vol op Howies schouder. Howie sloot zijn ogen en voelde zijn gedachten wiegen en zwemmen. De hitte van Salters lichaam drong dichter tegen hem aan, één been warm in de zachte kromming van Howies knie gevouwen. Het andere in zijn zij gedrukt, dij aan dij. Howies adem vocht tegen het zwellen van andermans longen, terwijl ongewenst zweet over zijn schedel kroop.

Zo moet het zijn om te verdrinken.

Hij kon zijn hand niet verroeren. Hoewel hij was uitgeplast, klaar was, kon hij zich niet bewegen. Hij kon zijn zaakje niet opbergen.

'Howie.'

De stem kwam aan als een vuistslag, en Howie voelde hoe de vorm van zijn naam zachte maar heftige veranderingen teweegbracht in de mond van een ander, die tegen zijn wang lag. Hij voelde zich weifelen in de greep van een hachelijke aanvechting.

Alsjeblieft. Hou ermee op. Je bedoelt niet wat ik wil dat je bedoelt.

Toch leunde hij achterover en liet zich tegen een lichaam rusten dat hij niet kon vertrouwen. Hij trok met zijn hals om zich om te draaien, om te spreken, maar Salter schraagde hem als een goed nieuw geloof, als de vervulling van een belofte die binnen handbereik kwam.

'Sssjt.'

Het geluid roetsjte als een slee Howies oor binnen en liet hem volledig fragmenteren, stukjes en beetjes van gedachten spatten weg, verschrompelden, gingen geheel verloren, terwijl Salters armen bleven waar ze waren en besloten nog harder te drukken, te wurgen.

Howie hoestte een stroom onzin op, even verward als zijn gedachten. 'Ik kan niet... ik kan niet... als je me vasthoudt...' De zenuwen lichtten op in zijn ruggengraat, 'Is dit... Heb ik soms...?' en hij voelde de smalle, ronde druk van een van Salters heupen, 'Alsjeblieft', de rijzende lijn van zijn pik. 'Alsjeblieft.'

'Sssjt.'

En toen niets meer. Howie struikelde naar achteren, gleed weg in een duizelige draai, plotseling op een kille manier bevrijd. Salter greep al naar de deurklink en vertrok zonder een woord te zeggen, zonder enig teken, zonder ook maar de geringste poging om te communiceren: geen hoofdwending, geen onzekerheid in zijn schouders, geen bijzondere gratie of tederheid in de draaiing en buiging van zijn hand; geen afscheid, geen hint.

Howie hield nog steeds zijn geslacht vast, met zijn gezicht naar de deur gekeerd nu, en hij merkte hoe een steigerend verlangen het gewicht van zijn vingers nam. Hij jammerde van stijfheid, perste zijn gedachten omhoog en naar voren tot zich één of twee druppels zuivere wanhoop vormden. Tot hij door gemis en schaamte getroffen werd, en vrijwel zeker ook door angst, en zijn hoop vervloog.

Had ik maar iets teruggedaan.

Van twee kanten werd zijn aandacht getrokken door gespiegelde reflecties van een man die stond te knipperen, zijn haar in de war, zijn lid schrompelend in zijn hand, een man die voortdurend zijn lippen likte.

Had ik maar iets teruggedaan.

In de spreekkamer was het stil en waarschijnlijk rustiger dan voorheen, al was hij niet in staat om te oordelen. Er liep een streep over zijn schoen, merkte hij toen hij binnenkwam, het kon niet anders dan pis zijn.

'Is alles in orde?' Zijn stem was niet veranderd, zijn kleding was niet in de war geraakt, maar hoe lang was hij weg geweest? Ongerustheid bekroop zijn handpalmen. 'Ben ik...? Ik heb u toch niet laten wachten, hoop ik?'

Twee paar grijsblauwe ogen knipperden hem neutraal toe. De moeder schudde haar hoofd.

'Er waren geen... berichten. Goed. Nu u een tijdje heeft kunnen nadenken. Zijn er nog andere punten die u aan de orde wilt stellen?' Hij probeerde de blik van de dochter te vangen maar slaagde er niet in. Eigenlijk moest hij achter zijn bureau gaan zitten en zijn schoen verbergen. Maar hij zou hen snel uit moeten laten – beter maar blijven waar hij was. Als het leer eenmaal droog was, zag je er waarschijnlijk niets meer van. 'Nog vragen? Nee? Goed.'

Hij deed een poging tot een luchthartige glimlach en liet zijn armen een vaag gebaar van uitgeleide maken. Moeder en dochter volgden de wenk met meer graagte op dan vleiend was. Ze popelden om het vertrek te verlaten. Popelden om bij hem weg te komen. Niet dat dit verrassend was – hij moest eruitzien als een man wiens handen glibberig van verwarring waren, wiens kletsnatte overhemd onder zijn armen, onder de schouders van zijn jasje en tegen de onderkant van zijn rug plakte, een man die wilde neuken, alleen maar neuken, neuken, neuken, neuken.

Nee, klaarkomen. Nee, neuken – zoals je het niet alleen kunt doen.

'Pas goed op uzelf dan. Allebei. En morgen bel ik. Komt morgen gelegen? We hebben een nummer. Zult u...' Hij hoefde geen affectie te tonen, aan affectie hadden ze geen behoefte, ze wilden een passende professionele houding en nuttig advies. Maar als ze niet snel vertrokken zou hij gaan schreeuwen. Dan zou hij rennen, met zijn hoofd het raam verbrijzelen en lange tijd nog veel harder schreeuwen. 'Tot ziens dan. Dag.'

Op de gang keerde Howie zich van hen af en begon naar zijn kantoor te lopen, met een onzinnige angst voor wat hij daar aan zou treffen. Bang, preciezer gezegd, dat in zijn kantoor helemaal niets veranderd zou zijn: geen briefje, geen verstoring van de gebruikelijke orde, geen mens die binnen op hem wachtte.

Dat meisje en haar moeder – ik had een taxi voor hen moeten laten komen. Er valt vast nog natte sneeuw. Je had eraan moeten denken. Je had ervoor moeten zorgen.

Toen hij bijna bij zijn deur was, voelde hij zijn wang weer schrijnen en hij herinnerde zich dat Salter zich niet altijd even grondig schoor. Vaak hingen er een paar haartjes over het breedste deel van zijn onderlip. Het maakte niet echt een onverzorgde indruk maar het oog werd erdoor getrokken.

Je moet er bijna vandoor, naar huis voor vanavond. Een taxi is wellicht nog het beste idee met dit weer. Maar je hoeft nu nog niet te beslissen. Het kan overtrekken, dat gebeurt met zulke dingen.

Zijn kantoor was nog precies zoals hij het had achtergelaten, er was niets aangeraakt.

Ik had vanmorgen bijna een trui aangetrokken. Ik wou dat ik het gedaan had. Dat zou zacht voor hem geweest zijn. En zijn geur was er in blijven zitten. Jezus.

Misschien was het een grap. Het móét een grap zijn geweest. Behalve dat ik weet dat hij het meende.

Ik heb een hekel aan mijn kamer, hij is te klein voor me – te klein, zelfs voor mij.

Ik zie er niet uit als een homo. Ik gedraag me niet als een homo. Ik zeg nooit dat ik homo ben.

Er werken homo's op kantoor, mensen die uitkomen voor hun voorkeur. Burnaby is homo, en Curtis geloof ik ook. Ze worden niet voor gek gezet of vernederd, ze zijn gewoon zichzelf en geaccepteerd en leveren behoorlijk werk – niet meer of minder gewaardeerd dan de anderen. Ik kan hier veilig homo zijn, net als zij, dat weet ik. Ik heb geen moeite met het idee, met de handelingen, met de gedachte. Homo zijn als concept, dat bevalt me waarschijnlijk. Heel waarschijnlijk vind ik het fijn dat ik homo ben. Ik heb alleen een hekel aan mezelf.

Maar Salter, ik wist zeker dat hij niet, dat hij – ik dacht dat hij een ander leven leidde. Ik dacht dat ik gehoord had – iets wat ik me nu niet kan herinneren. Ik luister niet goed genoeg. Eenzelvig zijn, dan hoef je niet te liegen, te bekennen, niets op te biechten, zoals mensen doen die het niet erg vinden om het te ontdekken, om ontmaskerd te worden. Ik wil er niet voor uitkomen.

Ik wóú er niet voor uitkomen. Ik wilde niet ontmaskerd worden. Ik wilde niet ontdekken dat er niemand keek.

Ik mag niet, ik zal niet, ik moet niet willen uitvinden hoe het zit met Salter. Ik wil niet te horen krijgen dat het onmogelijk is.

Maar het kan niet onmogelijker zijn dan het nu al is.

En het kan niet mooier zijn. Serieus.

Aan het andere eind van het gebouw kwam hortend een stofzuiger tot leven. Howie moest ervandoor. Het enige wat hij gedaan had sinds hij afscheid had genomen van Mrs. Simpson, was afwezig door zijn dossiers bladeren en bijna een telefoongesprek verknoeien. Hij had een griepje als excuus aangevoerd en opnieuw naar zijn handen gestaard. Hij had spitse vingers, ze waren niet stomp; hij meende zich te herinneren dat dit een teken van gevoeligheid was.

Ha, ha, ha, ha.

Hij moest zijn jas gaan halen. Het had geen zin om te blijven wachten.

Hij moest nu echt naar huis.

Waar het precies warm en licht genoeg was, waar hij alles zelf behangen en geschilderd had, zodat elke kamer volledig naar zijn zin was en hij zich thuis kon voelen als hij alleen was. Want alleen zijn was de standaard: wat de bedrijfscomputers als zijn *default* zouden herkennen.

Baden. Rust. En dan de goede ochtendjas, de lange, en geen pantoffels, want die duidden op verval en geschuifel en op een meelijwekkend type huiselijkheid.

Howie kwam tot rust in zijn huiskamer, warm en gewassen, maar nog steeds omgeven door herinneringen die hem bespiedden en begluurden. Zijn bewegingen waren stuntelig en ingehouden van onzekerheid, alsof de aandacht die zijn geest aan een ander lichaam schonk voortdurend geëvenaard werd door de geest van dat andere lichaam, alsof zijn lijfelijkheid overdacht werd, bevingerd, in onbereikbare gedachten. Hij vouwde zijn armen, ging verzitten, schermde zijn gezicht af voor de verblindende schittering van niets en niemand.

Toen hij vroeg naar bed ging, was het puur om wat privacy te hebben, alleen maar daarvoor.

Wat bedoelt hij eigenlijk?

Howies enkels waren begonnen te tintelen.

Uit een blik – je kunt het niet opmaken uit een blik. Maar zó'n blik, dat kan geen toeval zijn.

Nu waren zijn voeten door en door warm, nat, zelfs de voetzolen, wat belachelijk was – alsof hij in een teiltje was gestapt terwijl hij alleen een glimlach met een glimlach had beantwoord. Er laaide een prettige waanzin in zijn binnenste, die opklom van rib tot rib en hem helemaal optilde.

Lieve god. Ik raak hem aan. Hoe kan ik het niet doen.

Ze stonden op elkaar gedrukt in de kantine, deden hun best om het hete metaal van de ketel te ontwijken, de wankele stapel in de gootsteen, het sluiten en gapen van de ruimte tussen de onvermijdelijke korte aanrakingen. Salter had goede handen, dat kon niemand ontkennen: de spits toelopende vingers die op gevoeligheid schenen te wijzen, de aanzet van donker haar dat nauw om de kromming van de pols sloot en wegdook onder de manchet.

Mannenhanden. Dingen om vast te houden, groot genoeg om vast te houden, om onder te bewegen. Deze handen, net als mijn eigen handen, als delen van een beter ik.

'Niet veel ruimte hier, hè, Howie?'

Brutale glimlach, ondeugende glimlach, de glimlach van een heel stoute jongen. God, laat het geen inbeelding zijn.

'Nee. Nee, het is...' Tegenover elkaar, en te dichtbij. Howie vond dat ze te dicht op elkaar stonden. 'Ik vind het maar...' Hoewel ook weer niet dichtbij genoeg, natuurlijk. De behoefte om naar voren te reiken wapperde en kronkelde als een vlag in Howies binnenste. 'Lastig.'

'Mm. Lastig.'

Salter nam zijn mok en dronk, langzaam, misschien uit kiesheid, misschien alleen omdat zijn thee nog warm was. Hij slikte en een vloeiende beweging gleed over de lengte van zijn keel. De duim van zijn vrije hand kwam omhoog en depte zijn lippen, drukte, bleef liggen.

Alsjeblieft.

Howie begon het draaien van de aarde te begrijpen, de beweging van continenten en oceanen, de noodzaak om altijd, onder alle omstandigheden, op de been te blijven.

Alsjeblieft.

Toen liet hij zich gaan en stak zijn hand uit door de dichte, onvoorspelbare lucht tot hij de zijkant van Salters gezicht bereikte. Hij leunde naar voren en zette zich schrap tegen het luide misbaar van aanstormende informatie uit die ene ontroerende aanraking: de warmte van vlees boven en onder de baardlijn, het trekje van een oogopslag, de lichte weerstand van stoppels en dan de gaping van een oor, het zachte lelletje en de koele rand; het prachtige kortgeknipte haar dat zich nauw om de basis van zijn schedel sloot, en ten slotte de blakende, glorieuze huid, ongeschonden en soepel en strak in Salters nek.

Jezus toch.

Salter sloot zijn ogen, knikte zijn hoofd naar achteren en naar opzij, drukte tegen Howies handpalm.

Hij zal me laten stoppen. Straks loopt hij weg. Hij laat me ophouden. Ik zal niet stoppen. Hij wel.

'Hou op.' Salters stem kwam diep uit zijn keel, zacht en, om wat voor reden ook, geamuseerd. 'O, hou op.' Salter mompelde goedkeurend en wierp een steelse blik op Howie, waarin een suggestie van eigendom lag. De neonbuis boven hen wierp zijn felle schijnsel tussen hen in, maakte de heldere stoomdeeltjes zichtbaar die opsprongen uit hun mokken, wervelend als een vuurgloed. 'Ik meen het. Alsjeblieft. Hou op.'

Howie haalde zijn hand weg. Een absurde hoop hopte in zijn keel toen Salter een stap dichterbij kwam en de melk oppakte. 'Ik kan hier wel een druppeltje meer van gebruiken, geloof ik. Jij?'

'Mm?' Zijn gezonde verstand verborg zich ergens achter zijn nieren, uit het oog, uit het hart. 'Ik?'

'Wil je nog wat?' En een kus landde zo snel en zo licht op Howies wang dat het evengoed niet gebeurd kon zijn, maar het was wel gebeurd, onmiskenbaar. Salter gaf hem de melk en liep weg.

Howie strompelde terug naar zijn kantoor, morsend uit zijn mok, en met niet meer – hoopte hij – dan een flauwe glimlach op zijn gezicht.

Ik heb een stijve. Dat kan zo niet blijven zonder er iets aan te doen. Als ik eenmaal zit, als ik ga zitten en uit het raam kijk en aan het werk denk, gaat het misschien wel voorbij.

Vergeet het maar.

IK HEB EEN ERECTIE DIE IK NIET ZELF VEROORZAAKT HEB. *Ik ben niet verantwoordelijk. Dit is voor Brian Salter. Dit wil ik Brian Salter geven. Ik wil het hem schenken. Me geven.*

Een van de secretaresses liep met een knikje langs, ze maakte een bestudeerd overwerkte indruk.

'Goedemiddag, Mrs. Carstairs, het beste voor u en voor het psychiatrisch ziekenhuis dat uw naam draagt. Ik heb, voor het geval u het zich afvroeg, een paal vanjewelste, veroorzaakt door mijn directe superieur, de geheimzinnige senior partner van deze parochie, Mr. Brian Salter. JAWEL.

Howie werd een verzamelaar. In een slechts enkele dagen van opmerkzaamheid pikte hij knikjes op in de gang, een steels aangeraakte hand te midden van andere mensen, terwijl de ochtend onder hem wegzakte, duizelingwekkend. Ook hield hij een inventaris bij van pauzes waarin hij uitleg had kunnen krijgen, misschien zelfs nog een kus, voller, zodat hij de smaak beter te pakken kon krijgen. Er was weinig voor nodig om hem uit het veld te slaan, maar hij mocht niet klagen – er was nog minder voor nodig om hem te doen schitteren.

De kerst was in aantocht en hield de stad in zijn greep, ook het kantoor, dat toestond dat de spreekkamers en bureaus en de kantoortuin van de secretaresses werden opgesierd met het vertrouwde arsenaal van eentonig zilverpapier en klatergoud. Maar geen maretak.

Om een uur of halfvijf nam de hemel boven de stad een vuile koffiekleur aan, en het besef dat de nacht zich om hen samentrok vervulde Howie van gewaagde hersenspinsels. Hij had er een gewoonte van gemaakt om langer door te werken, zelfs tot na de schoonmakers vertrokken waren, en zich onledig te houden in zijn kantoor, alleen en beschikbaar, het heimelijke motief een milde kwelling. Iedereen wist dat hij er was, dat dit nu zijn gewoonte was. Hij zorgde ervoor dat eenieder het wist.

En iedere avond zat hij daar met de deur op een kier en luisterde hoe het gebouw tot rust kwam. De stilte werd nooit verbroken, hoewel zijn hart nu en dan opsprong bij een geluid in de verte. Hij hamerde missives uit en ontwarde de levens van echtparen; dan zette hij verse koffie en dronk hem op, terwijl hij in broeierige gedachten verzonk.

Ik weet hoe het moet. Ik heb het nooit gedaan, maar ik heb erover gehoord. In het wc-hokje zou het met gemak kunnen. Eerst een beetje kletsen, dan zouden we langs de hokjes lopen en ons samen insluiten. Hopen dat er niemand binnenkomt. Maar als het wel gebeurt, wachten we tot ze weg zijn. Geen probleem, daar gaat het juist om als je het zo doet. We zouden veilig zijn – veilig genoeg – altijd. Ik moet voor een tas zorgen.

Een tas is belangrijk. Het moet een goede tas zijn, het soort waar ze mooie kleren in stoppen, zo een die gemaakt is van dun karton in plaats van plastic. Papier zou niet volstaan. We heb-

ben iets stevigs nodig. Zonder meer. Stijf.

We doen de deur dicht en ik vouw de zak open en stap erin. Nee. Ik wil hem nemen, dus dat zou niet werken. Ik vraag hém om in de tas te stappen en ik doe de bril omlaag en ga zitten. Ga voor hem zitten, mijn hoofd ter hoogte van zijn middel. Als er iemand kijkt, is er maar één paar voeten waar ze horen te staan, een tas met boodschappen en het juiste aantal voeten. Maar ik ben binnen; met mijn voeten aan weerszijden van de tas laat ik mijn blik omhooggaan en hij hoeft niets te doen, niet als hij geen zin heeft, ik zou alles voor hem doen. Zijn gulp openmaken. Met kalme, resolute gebaren – te voorzichtig is vervelend en te ruw is te ruw. Alsof ik het zelf was. Hem aanraken alsof ik het zelf was, hem uitkleden tot op het laatste laagje en hem eruit lichten, eruit láten eigenlijk, want het bloed dringt genoeg om hem te laten springen. Om hem te zien springen, om alleen maar te kijken.

Maar dan zou ik zijn pik tegen mijn voorhoofd willen voelen, de zijden ronding ervan, zwaar en stijf en met een stevig gewicht erin. Maar niet te lang – zijn ballen kussen, het zou gebeuren terwijl ik dat deed, ik zou hem kneden en zo manoeuvreren dat het puntje in mijn haar zou liggen. Misschien meer dan alleen het puntje: mijn haarlijn wijkt nog niet. Ik heb meer haar dan toen ik twintig was. Of minstens evenveel.

Hij zou mijn haar kunnen strelen. Zijn handen op mijn hoofd leggen. Me bewegen. Me sturen. Als hij zou willen.

Ik weet niet hoe hij zou ruiken. Een beetje naar pis misschien – naar kleding, of talk, of zeep, of alleen naar zichzelf. Private huid en privaat zweet, kloppend – alleen voor ons.

Dat herinner ik me nog. Ademen rond het dringen van een pik, likken waar hij zich wil laten likken, rollen, je ernaartoe neigen, ervoor buigen. Ik zou niet weten hoe een vrouw dat moest kunnen. Ik kan me niet voorstellen dat ze zou weten hoe het moest.

'En?'

'Mevrouw.'

Howies gedachten verdrongen elkaar in hun haast om weg te komen, struikelden en vertrapten zijn opgehoopte verwachtingen.

'Meneer en mevrouw.' Mrs. Carstairs herhaalde haar woorden, een milde frons op haar gezicht, alsof hij plotseling dom was geworden. Wat natuurlijk ook zo was. De laatste tijd was hij dommer geworden dan hij ooit voor mogelijk had gehouden.

Hij knikte en vond het eigenaardig moeilijk om ermee op te houden. 'Meneer en mevrouw Salter. Uitstekend. Zijn er nog kleine Salters ook?'

Daar wil je geen antwoord op. Je wilt er niks van weten. Laat toch, verdomme nog aan toe.

'Wat?'

'U weet wel. Familie. Wat een gedachte, hè. Met zulke genen...' schmierde hij, terwijl iets kouds en vloeibaars opsteeg in zijn schedel. 'Grapje.'

Ha, ha, ha, ha.

'Ik snap niet waarom ik nooit eerder kaartjes gestuurd heb. Dan zou ik zulke dingen geweten hebben. Maar eigenlijk... hou ik gewoon niet van Kerstmis.'

'Tja, ik weet ook niet zo zeker of ik er wel om geef. Het vooruitzicht is altijd beter dan de werkelijkheid, vindt u ook niet?'

'Altijd. Ja.'

'Maar ik geloof dat hij een zoontje heeft – Mr. Salter.'

Hou haar blik vast, blijf haar in de ogen kijken, glimlach. Het is niet belangrijk, het gaat je geen flikker aan. Maar je moest het zo nodig vragen, hè? Oetlul.

'O? Wat leuk.' *Blijf lachen, beheers je.* 'En dat was iedereen?'

'We hebben nog de gebruikelijke grote kaart voor de

schoonmakers. Of het moest zijn dat u hun zelf iets wilt schrijven.'

'Nee.'

'Dus niet, had ik ook niet gedacht.'

'Je moet het niet overdrijven. Het kan ook te veel van het goede zijn.' *Lachen.*

'Ja.' Ze zond hem een vriendelijke blik en hij kon alleen maar aannemen dat het was omdat ze hem een zielige ouwe lul vond, nu hij zo plotseling mee wilde helpen met het verspreiden van kerstkaarten op kantoor en deel wilde nemen aan de festiviteiten.

'Ja. We moeten zeker niet overdrijven. Gelijk hebt u. Bedankt voor de hulp, Mrs. Carstairs.'

'Geen moeite.'

Ze zei het op een toon van genegenheid, die hij niet kon beantwoorden, omdat hij al op weg was naar het herentoilet. Waar hij alleen kon zijn.

Ha, ha, ha, ha.

Deur op slot en instorten. Snikken. Je longen vacuüm zuigend van de inspanning – geen geluid, alleen een hijgend wiegen – tot het volgende stadium intreedt en je stem terugkomt, lachwekkend en miezerig van de pijn. Je wilt niet dat er iemand binnenkomt en je zal horen, maar je wilt ook niet alleen zijn.

Ha, ha, ha, ha.

Hij probeerde te geloven dat het van hem af zou vallen, dat het voorbij zou gaan, dat hij van alle onzin af kon zijn. Er was een toiletrol om zijn gezicht aan af te vegen als het voorbij was. Zo erg zou het niet zijn, niet meer dan een noodzakelijke uitbarsting.

Behalve dat hij niet op kon houden. Howie zoog adem in tussen zijn tanden, huiverde van het geluid, en hij huilde en sloeg zijn armen om zijn hoofd en huilde en stompte met zijn vuist op de deur en huilde. Hij zat op het toilet met de bril omlaag, zoals hij voor Salter had willen doen, als Salter er geweest was, en hij huilde.

Wie weet komt hij binnen. Niet nu. Over een tijdje. Ik krijg mezelf wel weer onder controle. Dan is hij er misschien als ik buitenkom en misschien hoef ik niets te zeggen, omdat alles op mijn gezicht staat te lezen. Dan kon hij me in zijn armen nemen en ik kon hem in de mijne nemen. Kon ik hem nemen. Wat ik nodig heb. Neuken.

Hou toch verdomme eens op.

Zoals niemand ooit gedaan heeft.

Hou toch verdomme eens op.

Zijn redding was een congres, voor even. Hij nam de plaats in van iemand die op het laatste moment had afgezegd, bood zich aan als vrijwilliger zoals hij nooit eerder had gedaan, en liet zich drie infantiele dagen lang opsluiten in een steriel meditatiecentrum.

Daar aangekomen toonde Howie zich geen bereidwillig lid van de groep. Hij deed geen moeite om zijn ervaringen te delen met zijn toegewezen partner, maakte geen notities tijdens lezingen, maar vulde zijn papier met een onverhuld nors gekrabbel. In lunch- en koffiepauzes zonderde hij zich af en deed alsof hij zat te lezen: hij had geen eetlust meer. De slaap had hem verlaten, zijn aandachtsboog werd korter, in de meest alledaagse taken werd hij gedwarsboomd door vlagen van excessieve vermoeidheid. En er was niets wat hij kon doen om dit te verhinderen: de verontwaardiging van zijn lichaam over zichzelf, over zijn dwaasheid. Hij merkte dat hij zelfs – stilletjes en tot zijn schande – genoot van zijn gewichtsverlies, van zijn genadige onvermogen om na te denken, van de pogingen van anderen om zich bezorgd te tonen als ze dachten dat hij ziek was. Er was niets met hem aan de hand, natuurlijk: het was alleen dat hij ontdekte wat hij nog kon doen, de veranderingen waartoe hij nog in staat was, zijn tekenen van liefde.

Op de dag dat hij terug op zijn werk werd verwacht, ontwaakte hij om vijf uur 's morgens met een gemis dat zwaar op hem drukte, van de achterkant van zijn keel tot aan zijn ballen. Hij dacht na over trots, over waardigheid – en dat daar te veel waarde aan werd gehecht.

Ik hoop dat je je wat beter voelt.
Het beste, Brian.

Het briefje lag op hem te wachten op zijn bureau. Hij had de gang getrotseerd en de secretaresses het hoofd geboden met hun vragen over zijn afwezigheid, en toen deed een twee-regelig briefje hem verstarren waar hij stond. Hij wilde naar huis en zijn ontslag indienen en het kantoor van Brian Salter inlopen om hem hartelijk te bedanken voor zijn betrokkenheid, of om zijn vervloekte opgeilerskop in te slaan. Maar de telefoon ging en voerde hem terug naar waar hij verstand van had: de wet en de uitwerking ervan op mensen. Hij was veilig, hij wist zich te redden.

Om hem heen stolden de uren: vormden een dag, twee dagen, een week; en hij leerde dat hij Salters blik niet hoefde te ontmoeten en dat een flinter lucht voldoende was om hem te beschermen tegen de beet, tegen de aanval van Salters huid. Hij hoefde niet altijd te kokhalzen als hij vertrok zonder contact te maken, zonder om een blijk van erkenning te vragen. Maar toen Salter zijn kamer binnenkwam, zijn zachte schoenen fluisterend op het tapijt, zijn handen traag en gracieus terwijl hij de deur sloot en hen tot de enigen maakte, toen had hij geen idee wat hij moest doen.

'Maar ik weet het wel – je moet komen.'

Alle besluitvaardigheid week uit Howies gewrichten. Salter leek nerveus, *Brian* leek nerveus, er lag een ruwe scherpte in zijn gezicht. 'Kom.'

'Ik denk van niet. Ik kan niet. Ik ben nog nooit geweest.'

'Weet ik.' Salter wierp een onderzoekende blik op Howie. 'We hebben je gemist. Dit jaar...' Hij duwde zijn handen in zijn zakken. 'Het is Kerstmis. Mensen gaan naar feestjes.'

'Ik niet.'

'Maar je zou kunnen komen. Als ik het vroeg. Anders ben ik maar in mijn eentje.'

'Ik kan het beter niet doen.'

'Maar je doet het toch.'

'Als ik... Wat moet ik... Je bent niet... eerlijk.'

'Bedankt.' Salter grijnsde naar hem en vergewiste zich van de uitwerking, draaide zich om naar de deur maar bedacht zich. Howie begreep dat hij niets anders zou doen dan stilzitten en zich door de verwachting laten geselen terwijl Salter op zijn bureau afliep en eromheen om hem op te zoeken.

Hij sloot zijn ogen, opende zijn lippen voor de kus, onzeker of er een zou komen, maar hij kwam. Hier was hij, Howie, Peter Howie, en hij liet de spier van Brians tong binnen, zoog hem in tot hij sprak in zijn binnenste, flirterig en gul. Hij voelde aan als Brian: slim, zeker, grappig, onvervangbaar. Toen werd hij zelf verlokt, tot een volmaakt genoegen. Ze klonken zo luid, onmiskenbaar het geluid van kussen, net een echt stel op weg naar een vrijpartij.

Hij besefte dat hij gelukkig was.

'Er komt een dag', zei Salter in Howies haar, 'dat je helemaal vol van me bent.' Toen maakte hij zich zachtjes los, en het idee beschreef een baan in Howie en spatte als een lichtkogel uiteen. Hij bleef er een week van glimmen, hij huiverde als hij zich toestond met de gedachte te spelen.

Stomme klootzak. Waar ben je toch mee bezig? Heb je erover nagedacht waar je in godsnaam mee bezig bent? Ben je gek geworden?

Nee, ik ben alleen wanhopig. Dat is genoeg.

Tegen de tijd dat hij aankwam, was het overvol in de pub: God mocht weten hoeveel kantoorfeestjes hier door elkaar liepen. Howie stond een tijdje bij de ingang gezichten te bestuderen en zich af te vragen of hij wel moest blijven.

Ik moet terug naar huis en wat anders aantrekken. Dit is niks zo.

Je hebt je helemaal voor hem opgedoft, stomme idioot. Ik doe te veel mijn best. Er is toch niemand die het ziet, veel te donker hier.

Om hen heen kookte de muziek als een fysieke kracht en plotseling stak een gejuich op, dat weer ging liggen. Hij probeerde te genieten van het bonken van versterkte percussie in zijn borst en hij wist dat hij moest vertrekken. Hierbinnen was niets wat hij kon hebben, niets wat hem zou worden toegestaan.

Maar hij liep het trapje af en begon door de zee van lijven te waden, want als hij nu naar huis ging nadat hij het hele stuk gekomen was, zou dit hem zwakker maken dan hem lief was.

Daar is hij. Verdomme. Dat is. Dat was de zijkant van zijn gezicht, echt, maar ik heb geen idee welke kant hij op is gegaan. De gedachte aan Salter bulkte in Howies binnenste, verlamde de spieren in zijn benen.

Verdomme toch. Dit is belachelijk. Om je dood te schamen. Hij begon te beven, het zweet brak hem uit, in zijn handen pompte zinloos bloed. *Straks val ik nog. En ik wil niet dat dat gebeurt. Ze zullen denken dat ik gedronken heb.*

Een bed, mijn eigen bed. Als ik hem toch mee kon nemen naar mijn bed. Eén keer. Hij mag doen wat hij wil. Er is niets wat ik niet zou kunnen of willen.

Een hand greep hem bij zijn elleboog. 'Je bent gekomen. Ik ben blij.' Salter. In een prachtige sweater, een spijkerbroek. Howie voelde zich ofwel te zwaar of te licht. Hij wilde antwoord geven maar wist niets uit te brengen.

Salter hield zijn hoofd schuin en liet een halve glimlach om zijn lippen spelen, zodat ze iets konden delen. 'Ik was er niet zeker van of je zou komen.'

'Ik ook niet.'

'Maar je peinst er niet over om te vertrekken...'

'Nee.' *Leugenaar.*

'Luister, ik zit midden in een volkomen ongepast zakelijk gesprek met Billy Parsons...'

'Geen punt.'

'Maar ik kom terug.'

'Uitstekend. Je kunt me hier vinden.' Schreeuwend tegen de herrie in, het was idioot.

'Mooi. Daar hou ik je aan.' Toen, terwijl hij zich langs Howies schouder wurmde, blies Salter hem een tonicum in voor zijn brein, voor zijn pik: 'Straks veeg ik die frons van je gezicht. Niet weggaan.'

Howie zag hoe Salter zich verwijderde en werd opgenomen in een kring van gesprekken; zijn handen beschreven luie bogen als hij sprak.

Hij is misschien niet fantastisch, gewoon goed; voor mij goed. Lief. Ik zou voor hem zorgen, echt.

Laat mij je vrouw en je kind verdrijven. Laat mij je leven ruïneren, want zelf heb ik geen leven. Laat me van je houden zoveel ik wil.

Verdomme, hij vraagt erom, dus moet hij het willen ook, niet dan?

Ik wil het.

Daar heeft hij voor gezorgd.

Alsjeblieft. Ik denk dat ik het kan. Alsjeblieft, laat me proberen.

Tien tot vijftien minuten lang werd Howie begroet door collega's die hem met woorden bekogelden. Hij luisterde met zo weinig aandacht dat hij er zeker van was dat ze beledigd zouden zijn en hem alleen zouden laten, maar ze lachten en dromden om hem heen alsof ze volkomen tevreden waren. Hij moest ervandoor.

'O nee, daar komt niets van in.' Mrs. Carstairs klopte hem op zijn schouder. 'U kunt nu niet vertrekken. Ik kom u juist halen.'

'Wat?'

'Ik kom u halen. Zoals het een goede secretaresse betaamt. Ook al heb ik geen dienst.' Ze schonk hem een hese vrijetijdslach. Een beetje gemakkelijk te krijgen misschien, Mrs. Carstairs.

'Mij halen?'

'Geen vragen. Kom mee.'

Dus liet hij zich door haar meeslepen langs kluwens gesprekken, glimmende gezichten, doordeweekse bekenden die genoten van hun jaarlijkse kans om zich aan de wellust over te geven. Natuurlijk had Salter haar gestuurd en hij stond hen al op te wachten, klaar om haar een vluchtige kerstzoen op de wang te geven, terwijl hij zijn ogen op Howie richtte.

'Een gewoon bedankje was ook goed geweest.' Bloosde ze? Howie dacht van wel.

'Geen zorgen. Na de vakantie doen we weer normaal.' Salter, de joviale baas die best van een grapje hield, maar uiteindelijk serieus.

Straks gaat ze weg en zijn wij alleen.

Mrs. Carstairs giechelde. 'Moet u me daar nu aan herinneren? Tja...' Howie wist dat ze hem liever niet kuste en

69

schudde haar de hand voor ze het zou moeten proberen.

En ik ga ook zo weg, omdat ik moet. We gaan samen weg.

'Vrolijk kerstfeest, Mrs. Carstairs. Mary.'

Alsjeblieft.

'Vrolijk kerstfeest, Mr. Howie. Nu komt het wel goed.'

Zijn lichaam stamelde terwijl hij haar probeerde te begrijpen. 'Komt het wel...?'

'U wilde immers vroeg weg. Brian – Mr. Salter – gaat ook vroeg weg. U kunt samen een taxi nemen. Daarom kwam ik...' Ze liet haar uitleg verzanden. 'U snapt het. U komt er wel uit.' Howie realiseerde zich dat ze behoorlijk dronken was. 'Goedenavond, welterusten. Vrolijk kerstfeest.'

Salter nam hem in bezit met een arm om zijn schouder.

Ik kan niet.

'Het mooie aan Kerstmis is...' Hun heupen raakten elkaar. Perfect. 'Dat mannen maatjes kunnen zijn.'

'Alsjeblieft.' *Alsjeblieft.*

'Sssjt. We gaan naar buiten en houden een taxi aan. We brengen je naar huis.'

'Ik...'

Alsjeblieft.

'Dat was toch wat je wou? Naar huis.'

Zeg het hem, nu, zeg het. Je moet verstandig zijn, ophouden.

'Is dat soms niet wat je wilt?'

Nee. Nee. Nee.

'Niet?'

'Ja.'

Heet klein woordje.

MET LIEFDE HEEFT HET
NIETS TE MAKEN

Ik zou het niet hardop willen zeggen, maar het is ijskoud hierbinnen. Ik neem aan dat de mensen het meestal niet merken, omdat ze hun jas niet uit willen trekken en met hun gedachten god mag weten waar zijn: misschien is de kou zelfs wel opzettelijk, ik bedoel, warmte is wel het laatste waaraan je behoefte voelt hier. Toch komt het niet vriendelijk over – een koud crematorium – eerder alsof je de nabestaanden dwingt om te rouwen in een slechte grap.

En als ik hieraan denk, word ik heel even bekropen door de drang om te giechelen, maar ik trek mijn gezicht in de plooi en verzet me ertegen. Ik moet bijna altijd lachen als het niet hoort, omdat het niet hoort, om precies te zijn. Niet dat ik hardvochtig ben, ik vind mezelf niet hardvochtig, alleen heb ik besloten, omdat nare dingen nu eenmaal gebeuren zonder mijn instemming, dat ik me er niet verdrietig door laat maken.

Bovendien kan ik het niet helpen, het lachen: plechtige bijeenkomsten, trage ballades, hoogdravende redevoeringen – elke persoon of gelegenheid die van mij onvoorwaardelijk respect verlangt: uiteindelijk vind ik het allemaal om je dood te lachen. Vooral als ik word aangestoken door iemand die net zo is als ik. Veel is daar niet voor nodig: ik weet hoe het eruitziet als iemands onverstoorbare buitenkant begint los te laten. Soms vouwen ze in beverige spanning hun armen, of ze halen met schuchtere teugjes adem, of ze houden eenvoudig een hand voor hun gezicht om te verbergen hoe snel ze afglijden – hoe snel wíj afglijden, want intussen kan ook ik me steeds moeilijker inhouden, ben ik net zo verloren, wacht ik net zo krampachtig op het moment dat het ons niet meer kan schelen en we onszelf te schande zullen zetten – als we lachen.

Maar vanmorgen ben ik in een sombere bui: alleen, en dus minder geneigd me te laten gaan.

De man met het jarenvijftigkostuum en de dikke bril, hij ziet me fronsen en knikt me toe, hij toont medeleven met een verdriet dat ik niet heb, want ik heb geen goede reden om hier te zijn. Ik heb de overledene misschien vijf keer ontmoet, zonder dat er ooit iets opmerkelijks is gebeurd. Hij is voor mij niet meer dan een flauwe, wat veranderlijke herinnering, het nabeeld van een vriend van vrienden. Hij zal ongetwijfeld kwaliteiten hebben gehad, maar ze zijn mij niet bekend.

Bij de deur buigt de langere vrouw met het rossige haar – ik denk dat het zijn zuster is – zich naar voren en grijpt naar een tienerjongen, klemt hem onstuimig aan haar boezem terwijl ze over zijn hoofd naar iets onbevattelijks staart, in haar beroofde ogen nog steeds een blik van verzet en verbijstering. Ze zou beter op haar plaats zijn op een waardiger plek dan deze. Buiten lijkt de begraafplaats zo goed als verlaten, en hierbinnen zijn de contouren van al het lijstwerk, van alle raamkozijnen, vaag geworden door vele lagen gemeentelijke hoogglans; er is niets te zien voor haar dat niet een tikje groezelig en erbarmelijk is van de nicotineaanslag.

Het is inderdaad deprimerend hier in dit gebouw, wat tautologisch is – de mensen die je hier kunt verwachten zíjn immers gedeprimeerd.

Persoonlijk voel ik me kiplekker, maar ik zou willen dat het veel makkelijker was om dat vol te houden.

Dus baan ik me een weg tussen de mompelende groepjes door en loop de gang op, waar ik opnieuw het kleine zwarte letterbord bestudeer waarop schots en scheef het rooster voor vandaag staat aangeven, de witte plastic letters gerangschikt tot een lijst van achternamen en aanvangstijden – de huidige bijeenkomst is de tweede van zes. En hoewel de verwachte gasten ongetwijfeld al binnen zijn, moeten we nog vijftien minuten wachten. We zijn allemaal te vroeg komen opdagen, ieder om zijn eigen redenen, en in de ruimte achter me heerst de onrust – zelfs ik kan het merken – die voortkomt uit de concentratie van een onwillekeurige hoop, een gewoonte die nog niemand af heeft kunnen schudden: dat men nog een laatste, ondenkbare gast mag verwachten.

Ik heb ruimte nodig.

Mijn adem wordt al zichtbaar voor ik de dubbele voordeur helemaal uit ben. De twee vleugels scharnieren onhandig zwaar en ze zullen de baardragers of de lijkbaar zeker hinderen. Neem ik aan tenminste: ik ben niet van plan om te blijven treuzelen tot de lijkwagen aan komt rijden puur om mijn gelijk te bewijzen. Als ik daar ging staan – een onbekende wachtend op de drempel – zou het een vreemde indruk maken. Trouwens, niets aan het hele gebouw is begrafenisvriendelijk, aanvullend bewijs is overbodig. Ze hebben het aan zichzelf te danken als steeds meer mensen zelf hun zaakjes regelen en de as van hun verwanten uitstrooien in rivieren, in volkstuintjes of op goed toegankelijke idyllische plekjes.

Het getuigt niet van goede smaak om zo te denken, daar ben ik me van bewust. Maar het is ook niet bepaald smaakvol om het bestaande verdriet te verzwaren met ongerief – als er al iemand gevoelloos is, ik ben het in ieder geval niet. Ik zou een klacht moeten indienen. Ik zou een brief moeten schrijven aan de bevoegde autoriteit.

Ook de oprit is een schande: vol gaten. Ik moet goed oppassen waar ik loop. En ik moet niet op bijzonderheden letten, de walm die omlaag komt van de lompe grijze schoorsteen, die zich verzamelt in de kuilen, in bevroren plassen.

Buiten in de openlucht klap ik in mijn handen om mezelf te verwarmen en de rust te verstoren, een teken van leven, en ik heb er meteen spijt van: te luidruchtig. Een eenzame merel schiet over het gras, zijn schrikachtige trillers verdwijnen in de verte, gesmoord in de vrieskou. Ik kan teruggaan naar mijn auto en vertrekken. Niemand zou mijn afwezigheid opmerken. Men heeft mij hier niet nodig.

Misschien zal ik juist daarom blijven.

Om de minuten door te komen loop ik in een grote, trage cirkel over het gras en laat het ijsstof smelten op mijn schoenen. Als ik de eerste keer stil blijf staan, zie ik een kleine kleurverstoring, roodachtige bloemen tegen een steen. Opnieuw blijf ik staan, en ik kan zien hoe de witte diepte van een opkomende mist details uit de bomen naar voren haalt. Nog een keer, en ik zou de parkeerplaats kunnen zien als ik me ertoe geroepen voelde, maar dat doe ik niet – ik heb er niets te zoeken.

Terug naar binnen dan maar: waarom ook niet.

Ja, ik kan net zo goed naar binnen gaan. Er staan andere opties voor me open, maar die hoef ik niet te kiezen, omdat ik nu eenmaal hier ben.

Mijn god, moet je toch zien wat een plek – het is onvergeeflijk.

Soms wou ik dat het in mijn hoofd voor één keer eens stil kon zijn, dat ik niet steeds hoefde te horen wat ik moest doen.

Terug naar binnen dus. Waarom niet. Het trapje op, één keer krachtig trekken, en dan verder.

En onmiddellijk voel ik het verschil, weet ik het – ik had gehoopt dat het niet zou gebeuren en ik had gehoopt van wel, en wat mijn wensen ook waren, het is gebeurd – Paul is er.

Ik heb hem niet gezien, maar ik weet het: terwijl ik mijn

wandeling maakte en niet aan hem dacht en niet naar zijn auto zocht: toen ik even niet oplette is hij binnengekomen. Net als altijd: binnengekomen zonder mijn toestemming.

Hij heeft net zo weinig reden om hier te zijn als ik. We hebben samen beleefdheden uitgewisseld met de dode man, die vier of vijf keer: we wisten geen van beiden wanneer hij jarig was, wat zijn middelste initiaal was, of hij plezier had in zijn werk – of hij wel werk hád. We zijn hier voor elkaar, om onszelf pijn te doen.

Wat natuurlijk amper iets uit zou maken, als we niet ooit dik met elkaar waren geweest, meer dan dat.

Ik bedoel, ik zou niet meer weten wanneer ik voor het eerst besefte dat ik kon zeggen waar Paul was zonder te kijken, zonder dat het me verteld was. Misschien heeft het met geur te maken, zoals motten elkaar vinden, of schildpadden, schildpadden kunnen hun huis van mijlenver ruiken. In het begin was het alleen maar goed: een ruimte binnenglippen en inademen terwijl alles wat ik kon voelen zijn aanraking was: in het gedrang van andere lichamen, in de curven van voorwaartse beweging op mijn huid, in het warme overhellen van de muren, in mijn wisselende stemmingen: overal hij.

Deze morgen is het nog bijna hetzelfde, de werkelijkheid wordt zeeziek en rauw, maar als we elkaar ontmoeten, zullen we elkaar alleen maar ergeren.

Ik stap desondanks de zijkamer binnen, steeds dieper, en daar, alleen bij de lege haard, tref ik de man met wie ik het kon vinden en die het ook met mij kon vinden.

Paul verwacht me, dat is duidelijk – voorzichtigheidshalve staat hij met zijn rug naar de open deur, zijn schouders zijn alert. Ik geloof dat hij is aangekomen, een beetje maar. Die broek heb ik nog nooit gezien, maar dat jasje was me heel vertrouwd – om de een of andere reden doet het pijn om het te zien – en het zal niet warm genoeg voor hem zijn, niet vandaag, het is niet erg praktisch. Maar als je je arm eronder laat glijden, zal er toch hitte zijn, behaaglijk in de lendestreek. Het was een genot om dat te vinden, dat herinner ik me.

Zijn handen: ook die herinner ik me. Zelfs van deze afstand veranderen ze de ruimte tussen mijn vingers, en maken dat het pijn doet. Hij rommelt in zijn zakken, haalt zijn handen er weer uit, en als het zo is dat hij beeft, kan ik het van hieraf niet zien. Ook kijk ik niet graag naar mijn eigen handen. We beven allebei te gemakkelijk, en het wordt nog veel moeilijker als een van ons tweeën ontroerd lijkt, of zwak.

Liever besteed ik geen aandacht aan zijn hoofd, aan zijn achterhoofd, zijn haar. Ik zou zeggen dat hij het pas heeft laten knippen. Ik zou zeggen dat ik het kan voelen, het ruist in mijn handpalm als de geest van een oude verwonding.

Daar, tussen ons in, loopt die man weer met zijn dikke bril, en nu neemt hij hem voorzichtig af en poetst hem met het uiteinde van zijn stropdas. Dan tuurt hij in het rond en laat de kleine groeven zien die het montuur in de brug van zijn neus en het vlees van zijn slapen heeft gekerfd.

Hij zal wel te strak zitten. Of misschien zijn zijn ogen nog uitstekend, maar heeft hij een bril gekocht die in zijn groeven past.

Nog maar een jaar geleden: als ik het niet gezegd had, had Paul het wel gedaan – zo zaten we in elkaar. Het zou niet gemeen bedoeld zijn geweest: de gedachten kwamen op en wij lieten ze toe, ze waren van ons. Maar als je alleen bent lijken zulke gedachten onaangenaam.

De man zet zijn bril weer op en loopt verder, en voor ik erop bedacht ben, beweegt ook Paul zich, draait zich behoedzaam om, alsof zijn lichaam niet meer gehoorzaamt of onberekenbaar is geworden. Dan, met niet meer dan een meter tussen ons in, blijven we allebei staan, en ik had niet anders ver-

wacht, maar toch treft het me als een vuistslag: die uitdrukking van extreme vermoeienis en verachting, die alleen mij
geldt. Daaronder de sporen van wat hij niet kan controleren:
bij de mond, in de ogen, op de eerlijke plaatsen: zijn onver-
dunde kwaadheid, zijn angst, zijn pijn.

En ik realiseer me terdege, geloof me, dat ik hem precies
eenzelfde soort gelaat voorhoud.

Hij wendt zijn blik af en gaat zitten, voorovergebogen, met
zijn ellebogen op zijn knieën, zijn hoofd omlaag. Wie hem zo
zag zitten zou denken dat hij uitgeput of overstuur was.
Iemand die om hem gaf zou stilletjes op hem af lopen en
hem over zijn rug strelen, of een hand op zijn voorhoofd
leggen, bij hem neerknielen en met een hand op zijn boven-
been steunen, vragen wat er aan de hand was en op hem
inpraten om het minder erg te maken. Iemand die om hem
gaf.

Hij heft zijn hoofd een beetje, bedekt zijn ogen met ge-
spreide vingers, gluurt er als een jongetje tussendoor en
krimpt ineen als ik hem aankijk, trekt zich terug in zijn
schulp. Wat alleszins begrijpelijk is, want ik ben zijn probleem: er is niets wat ik kan doen om hem te helpen, behalve
ophouden te bestaan.

En ik ben er nog niet zo zeker van dat ik hem wil helpen
Waarom zou ik hem geen pijn meer doen als hij niet op-
houdt mij pijn te doen?

Het is misgelopen, dat is alles, helemaal mis. Eerst lachten
we om vreemden en daarna, omdat we zo gelukkig en op ons
gemak waren samen, lachten we om elkaar en bewezen dat
we veilig waren in elkaars handen, omdat we er geen woord
van meenden. Maar later werd iedere plaagstoot of steek
onder water met gelijke munt terugbetaald, en dan maakten
we het weer goed en was er weer tederheid, maar van het
soort dat je alleen voelt als er wonden geslagen zijn. En het

was nooit de bedoeling: we waren geen van beiden echt in de aanval, we verdedigden ons alleen maar.

Maar we hielden niet op. Dus nu is er dit van ons geworden: ieder een slecht spiegelbeeld van de ander. Geen haartje beter, geen greintje zachter, met liefde heeft het niets te maken.

Natuurlijk kan ik er niets over zeggen, omdat ik niet met hem praat, omdat hij niet met mij wil praten en vice versa.

Ik krijg een stekende hoofdpijn, misschien is het migraine. Hij is de enige aanleiding voor mijn migraines, die had ik vroeger nooit. De maagkrampen, de dromen, de verkorte aandachtsboog: puur in pathologisch opzicht heeft hij tegenwoordig meer met mij te maken dan ooit tevoren.

Zonder dat ik een teken heb opgemerkt, beginnen om me heen de groepjes op te lossen, de gesprekken verstommen en de hele meute schuifelt botsend naar de deur.

Ik loop niet met hen mee, ik kan het niet aan. Als ze eenmaal zitten en de muziek is begonnen, ga ik naar huis: ik merk dat ik te moe ben voor iets anders. Ik ga voor het ene raam staan en staar in het bleke daglicht, terwijl achter me het vertrek leegloopt en tot rust komt.

Ik weet dat hij ook niet vertrokken is: ik hoef me er niet voor om te draaien. Hij zit achter me, precies zoals daarnet, zijn adem hoorbaar in de stilte – ik kan die van mezelf ook horen.

Onze situatie is ridicuul, belachelijk, en ik wou dat ik erom kon lachen. Dat ik dat niet kan is op zichzelf al vrij grappig, als ik erover nadenk: heel bizar dat ik mezelf zo snel kwijt kan raken, alleen omdat hij in de buurt is. En het zou echt heel amusant moeten zijn dat het zo door zal gaan, dat ik niets beters heb, dat ik zeker wil zijn, wat er ook gebeurt, dat we elkaar niet met rust zullen laten.

EEN SLECHTE ZOON

Ronald hield vol.

Het lukte: hij gleed, hij deed iets gevaarlijks, iets wat hij nooit gekund had. Heel stilletjes en verwonderd begon hij te denken dat dit moest betekenen dat hij iemand anders was. Onder hem roetsjte de grond voorbij, dicht langs zijn zijden, en hij deed niet alsof en het was ook geen wens – want geen van tweeën hielp, maar hij was echt hier en er was nog niets misgegaan, ook niet iets kleins, dus moest hij wel iemand anders zijn, beter dan hij eerst was, misschien nog maar net veranderd, misschien wel bij toverslag.

Zijn vader zei dat wonderen niet bestonden en zijn moeder zei het ook. Maar ze konden het mis hebben, dat zag hij in: want hij hield vol.

Hij dacht aan zijn voeten, het was de bedoeling dat hij afremde met zijn voeten, dat hij zijn hakken in de sneeuw zette, maar hij wilde niet, begreep eerlijk niet hoe, en trouwens, het was fijn om zo snel te gaan, dit beviel hem uitstekend, de schokken en stoten zo dicht op elkaar dat ze bijna één ding werden en het hem moeilijk maakten om na te denken, en dat was precies wat hij wilde – hoe minder hij horen kon in zijn hoofd, hoe liever hij het had. Nog even en hij had de juiste snelheid om geen woorden meer in zich te hebben, of mensen, of stukjes van dingen die hij gezien had: hij zou de snelheid bereiken die hem van iedereen kon bevrijden. Hij voelde hoe het vat op hem kreeg, hem schoonmaakte.

Ronald sloot zijn ogen en liet zich glijden en deel worden

van een grote, lange schittering, en hij lachte en lachte en liet zich achterover zakken tot hij op zijn rug lag, tot hij op de slee rustte, zoals een andere jongen zou doen, eentje die dit de hele tijd deed. Hij was bang geweest voor hij begon, maar je kon maar even bang zijn en dan veranderde het – werd het iets anders – dit keer was het in niets uiteengespat, in een heet wit licht dat wonderlijk en stil was, en hij was er zo blij mee dat hij zich de adem liet benemen.

Vóór hij omsloeg en de slee onder hem wegkantelde, vóór zijn benen werden weggerukt met de rest van zijn lichaam er vlak achteraan, abrupter dan hij voor mogelijk had gehouden, tuimelend terwijl hij aan uitvlakken dacht, aan uitgevaagd worden, vervangen.

Toen werd hij gevangen door iets massiefs, erdoor opgetild.

En hij stond op het punt om te zien hoe het was om te vliegen, toen iets anders zich om hem heen wikkelde, stuiterend en koud en voornamelijk zacht, maar met schrammen erin.

Toen het hem losliet, wist hij dat hij zou vallen.

Hij landde op zijn rug.

Vlak bij zijn gezicht, zo leek het, was de hemel, een pijnlijk blauw, maar vredig, en hij ademde weer – een heleboel – in en uit, zo veel dat het brandde als hij slikte. Ronald bewoog zich voorzichtig en de sneeuw kraakte. Hij dacht aan wat hij had kunnen breken, of hoe gemakkelijk hij zijn hoofd had kunnen stoten, of zijn tong afbijten – wat afschuwelijk zou zijn, dat betekende dat je niet meer kon praten – maar toen hij zich bewoog en betastte, ontdekte hij niet veel dat pijn deed, behalve zijn keel. Waarschijnlijk was alles in orde.

Hij wilde juist proberen op te staan toen hij Jim juichend en joelend op zich af hoorde sjezen, lachend tussen de bomen door. Maar het zou oké zijn. Jim zou hem niet uitlachen: hij dacht tenminste van niet.

84

Vervuld van een heerlijke kalmte ging Ronald rechtop zitten en inspecteerde de pijnboom waartegen hij tot stilstand was gekomen. Hij leek enorm, alsof je er niet tegenop kon botsen en toch overleven. De slee lag ondersteboven naast hem, dwars over de laatste donkere lus van zijn sporen, en over zijn benen lag een brij van sneeuw en naalden die hij moest hebben losgetrapt toen hij was omgeslagen. Toen was Jim er en sloeg hem op zijn rug en op zijn muts – niet te hard, als een goede vriend.

'Wat zit je te lachen, mafkees?'

Ronald deed zijn mond dicht en het lachen hield op. Hij had niet beseft dat hij het was die zoveel kabaal maakte.

'Hè? Je bent gek jij. Recht eropaf.' Jim liep door en wreef met respect over het nieuwe litteken op de stam van de pijnboom. Hij keek achterom en grijnsde. '"Wie het eerst opzij gaat" doen met een boom. Maf hoor.'

Ronald merkte dat zijn mond vertrok. 'Maar ik heb de slee niet kapotgemaakt, hè? Toch?'

Jim trapte onbekommerd tegen een van de ijzers: 'Die? Welnee. Daar zijn we mee van het dak van de schuur ge roetsjt om hem te testen. Niet kapot te krijgen verdomme.' Het klonk oké als Jim vloekte, net als bij Ronalds vader: als hij kwaad werd op Barbara Castle, of omdat de IJslanders de Engelse kabeljauw kwamen wegvissen, of als er iets misging, al was het maar iets kleins, en hij begon te tieren. Dat waren mensen die met woorden konden omgaan, het klonk nooit stom of alsof ze toneelspeelden, zoals bij Ronald.

Terwijl hij zocht naar een woord om te zeggen, wrong Ronald zijn benen onder zijn lichaam, tot hij kon knielen en in de sneeuw kon graven om aan het touw van de slee te rukken.

'Wil je nog een keer?' Het klonk alsof Jim een beetje onder de indruk was, maar eigenlijk wilde Ronald niets meer, behalve misschien weer warm worden. Hij had niet verwacht dat hij maf zou zijn, zelfs niet dat hij overeind zou blijven: het was allemaal toeval geweest. Het was makkelijker geweest om de slee te proberen dan toe te geven dat hij nog nooit op een slee had gezeten, dat was alles.

Jim keek met een professionele blik tegen de helling op. 'Zelfs Billy is nog nooit langs die kant gegaan...'

Ronald ging staan en hield zijn hoofd ver achterover om het spoor dat hij had achtergelaten helemaal te overzien, en hij moest zijn blik er meteen weer van losmaken – de helling leek onmogelijk, veel te steil en met rotsen: naakte, zwarte rotsen die uit de sneeuw staken. Bijna was hij bang geworden, maar toen herinnerde hij zich dat hij veranderd was – hij was de jongen die moeiteloos naar beneden was gesleed, en beter nog, Jim wist dat hij het gedaan had – hij was dapper geweest met een getuige erbij. Ronald probeerde zijn vuisten in de lucht te steken alsof hij een doelpunt gescoord had, maar het ging mis en hij voelde zich onnozel, dus zwaaide hij met zijn armen en stampte met zijn voeten en maakte er een krijgsdans van. Hij joelde een beetje – van joelen werd hij gelukkig. Hij was dapper geweest en Jim had het gezien.

'Maffe Ronnie. Knettergek.' Jim gaf hem een stomp op zijn arm en zonder na te denken gaf Ronald hem een mep terug, maar blijkbaar hoorde het zo, want Jim nam gewoon het touw van hem over en zei: 'Nee, ik trek hem naar huis – we hebben geen tijd meer vandaag, of moeders doet ons wat aan.' Hij zweeg even. 'Maar we zeggen niks, hè?'

Daar stemde Ronald graag mee in. 'Beter van niet.' Hij was goed in geheimen.

Opnieuw stompte Jim hem, deze keer op zijn schouder. 'En je zal wel even uit willen rusten.' Hij begon te lopen, en de slee volgde met horten en stoten, slechts een ogenblik weerstand biedend: Jim was sterk.

'*Aye.*' Thuis zei Ronald altijd 'ja', maar dat kon Jim niet weten. 'Aye. Knettergek', wat niet zo verlegen klonk als had gekund. Ook hij begon te lopen, vastbesloten om Jim bij te houden en niet te doen alsof hij ergens naar keek om even op adem te komen. Hij had smeltwater in zijn laarzen – laarzen van Jim, om precies te zijn – en er was wat in zijn kraag gelopen, tot op zijn rug, maar het begon al op te warmen, dus hoefde hij zich geen zorgen te maken.

'*Ronnie, Ronnie, knettergek, knettergek, knettergek. Ronnie, Ronnie, knettergek. Kne. Ter. Gek.*' Jim verzon voor iedereen liedjes, altijd op hetzelfde wijsje, hij zong ze gewoon – het kon hem niks schelen of de mensen het hoorden of kwaad werden.

Ronald stapte door tot hij Jim had ingehaald – misschien zelfs iets voor hem liep – al deden zijn dijen er pijn van. Toen het liedje – zijn liedje – voor de tweede keer begon, viel hij in, maar hij lette op zijn ademhaling zodat hij niet moest hijgen. Het ritme hielp hem om sneller te lopen en het deed hem denken aan het leger en marcheren en hard roepen met mannen die net als hij waren. Kameraden, noemde je dat, kameraden zijn.

Met hun gezang joegen ze alle kraaien uit de bosjes; zij met z'n tweeën, zo hard hadden ze geschreeuwd. En aan de sneeuw kon Ronald zien dat er hier dagenlang niemand geweest was, alleen zij – alles was ongerept, behalve waar ze gelopen hadden. En er was niemand in de buurt, waar hij ook keek. Het enige wat bewoog waren zij, dus was dit van hen. Hij was de enige die het opmerkte, dus was het van hem.

Ronald rende een stukje naar voren, de middag tollend in zijn binnenste, en hij werd weer licht, steeds helderder, en goed. Hij liet zich in de sneeuw vallen, met zijn gezicht omhoog en nog altijd zingend. *Ronnie, Ronnie...*

'Wat nou weer?'

'*Knettergek* – Laat mij maar hier.' Ronald zei het heel rustig, omdat het plotseling nodig was, omdat het moest gebeuren.

'Wat?'

Hij wilde blijven. 'Laat me alleen.' Als dit van hem was, zou het hem meenemen, wat er nog over was van hoe hij geweest was, en dan kon hij verdwijnen.

'O.' Jim liet bij wijze van proef een handjevol sneeuw op Ronalds borst vallen. 'Jou alleen laten? Dan zal ik je eerst moeten camoufleren...' Hij raapte meer sneeuw en mikte op Ronalds keel – er kwam een beetje in zijn mond.

Het smaakte naar onzichtbaar zijn. 'Zo is het goed.' Ronald hield zichzelf voor dat hij niet bang hoefde te zijn, dat was niet meer nodig. Hij kon splinternieuw zijn, hij kon knettergek zijn.

Hij dacht aan de yogi's die zich voor weken lieten begraven in India – ze haalden maar één keer per dag adem, of zoiets, en daarom voelden ze zich uitstekend als hun volgelingen terugkwamen om hen op te graven. Je kon doen wat je wou, als je je maar genoeg concentreerde: over hete kolen lopen en zweven, inademen door je ene neusgat en door het andere weer uit – warm, koud, spijkerbedden: je hoefde er niks van te voelen.

En onder de sneeuw zou geen gevoel bestaan, alleen de witheid in je hoofd, ook geen geluid. Beter nog dan de slee, het zou nooit ophouden.

Jim had een ritme te pakken en schepte nu van twee kanten armenvol sneeuw over hem heen. Omdat hij het niet wilde bederven, hief Ronald slechts langzaam zijn hoofd en zag dat hij bijna volledig bedekt was. Nog even en hij zou niet meer te onderscheiden zijn.

'Nee, je moet plat blijven liggen, hoor.'

'Mijn gezicht?'

Jim pauzeerde terwijl het idee tussen hen oversloeg – Ronald die bepaalde wat ze zouden doen, die aanbood om zich helemaal te laten begraven. 'Je gezicht? Ja, natuurlijk.'

Opmerkelijk voorzichtig bouwde Jim een sneeuwrand op rond Ronalds hoofd en klopte hem stevig aan. Ronald luisterde hoe zijn oren verstopten door het knarsen van nabije beweging en met het versnellen van zijn adem. Toen werd de kou tegen zijn wangen aan geduwd, tegen zijn kin, tegen zijn mond en over zijn voorhoofd.

Sterven van de kou was fijn, dat had hij gelezen. Je werd slaperig en dan viel je in slaap en werd je niet meer wakker.

Zijn gezicht klopte, de kou deed pijn aan zijn tanden, maar hij liet het gebeuren en negeerde het. Hij staarde naar de hemel, liet zijn ogen heen en weer gaan en lette goed op hoe vrij ze waren, en hoe vreemd en kaal het was om naar dingen te kijken. Op sommige plekken leek hij te branden, en misschien kon de verandering zo in hem stollen en echt iemand anders van hem maken.

Jim boog zich over hem heen en blokkeerde het uitzicht. 'Nou, ik ben weg hoor', riep hij. Het klonk een beetje eenzaam. Toen hij langsliep voelde Ronald de druk van zijn laarzen in zijn zij.

Toen was Ronald alleen, en hij probeerde te ontdekken dat hij iemand anders was – dat hij sterker werd.

Buiten hem was het stil, alles was verstomd. Hij wist niet of zijn oren nog wel werkten: ze deden behoorlijk zeer. Zijn lippen en zijn voorhoofd ook. Vanbinnen was hij nog lawaaiig, omdat hij moest nadenken.

Hij was geen yogi, besefte Ronald, hij was nog helemaal niets. Er was niets in hem dat belangrijk leek. Als hij zo in de kou bleef liggen, zou hij slinken tot een punt waarop hij er misschien niet meer toe deed. Het was niet waar hij op gehoopt had, het was niet eerlijk.

Maar het zou niet erg zijn om slaperig te worden en in te slapen. Dat zou zo slecht nog niet zijn.

Hij zou zijn moeder missen, dat was het enige. Hij dacht dat zij hem ook zou missen. Als het maar even kon, deden ze dingen samen, als er niks verkeerd was gegaan. Maar misschien deed dat er ook wel niet toe.

Ronald wachtte tot de kou zijn gevoel zou doven en alles weg zou boenen. Hij wachtte om een wonder te verrichten.

Al telde een wonder dat je zelf had verricht misschien wel niet mee.

Als je er niet toe deed – er zat een donkere, rode pijn bij zijn ogen – als je er niet toe deed – begreep hij bijna – als je er zelf niet toe deed, deed niets ertoe. Als niets ertoe deed, zou het je niet kunnen schelen. Dan kon je alles doen en het zou je niets kunnen schelen.

Dat wilde hij. Dat zou het beste zijn. Dan kon hij Ronald zijn, knettergek.

Ronald hield zijn hoofd achterover om te lachen. Een straaltje water liep zijn neus in en toen snel achter in zijn keel, hij moest ervan proesten, zodat hij uit de sneeuw omhoogkwam.

Hij hoestte, wreef in zijn gezicht en liet het tintelen, hoestte opnieuw, vouwde dubbel en deed zijn best om te spugen. Jim spuugde vast wanneer hij maar wou, hij was er goed in.

Ja, maar hij kon er ook goed in worden. Hij kon leren.

'Hé! Wacht even!'

Jim was piepklein in de verte.

'Hé! Hé, ik kom eraan!'

Hij had het langer volgehouden dan hij gedacht had – Jim liep een heel eind verder door de sneeuw te ploeteren.

'Hé!'

Hij had het waanzinnig lang volgehouden. Belachelijk lang. Je kon doen wat je wou, geen centje pijn.

Ronald begon te strompelen, zette het toen op een drafje, een moeizame galop.

'Hé! Jim!'

Deze keer keerde Jim zich om, spreidde zijn armen en riep naar hem. 'En jawel! Maffe Ronnie loopt weer in.'

Daarop begon Ronald nog harder te lopen, te hollen, de huid bij zijn lippen schrijnde.

Hij kwam aan, er bijna zeker van dat hij iets te vieren had, en opnieuw durfde hij Jim een por te geven. 'Uhuh. Maffe Ronnie.' Hij was buiten adem, maar kookte van opwinding, zijn gewrichten soepel, met de armen en benen van Maffe Ronnie – iemand die gewend was om beproevingen te doorstaan en te zegevieren. 'Uhuh. Dat ben ik.'

'Blij toe. Ik wist echt niet wat ik tegen moeders moest zeggen als je niet meekwam – ze had vast een toeval gekregen...' Jim was voor niemand bang, behalve voor zijn moeder. 'En we zijn al te laat – wie het eerste thuis is, oké?'

Voor Ronald het wist, begonnen ze allebei te rennen: struikelend en glibberend, botsend en weer verder strompelend. De avond was snel over hen neergedaald, een korte veeg roze licht en toen was het donker begonnen, de lichten van de boerderij waren duidelijk zichtbaar, stortten zich uit in gele flonkeringen terwijl ze erop afrenden. Ronald was inmiddels niets dan spieren en longen en de hete kluit van zijn hart en de wetenschap dat hij een heerlijke dag had gehad, de beste dag. Hij had niet één fout gemaakt.

Hoewel ze allebei op hun hoede waren, was de moeder van Jim in een goede bui toen ze hen zag: ze mopperde wel maar niet zo erg. 'O, in godsnaam, Jim, wat heb je met hem uitgehaald, wou je hem verdrinken soms?' Ronald stond vlak naast Jim in de keuken waar de geur van cake hing; in de intense hitte was het alsof zijn voeten en vingers gezwollen waren. Op het gezicht van mevrouw Dickson lag een halve glimlach. 'Moet je toch zien – hij is drijfnat.'

Ronald had haar niet zo vaak gezien, maar hij was gewend haar over hem te horen praten alsof hij een ongewoon machientje was dat Jim ongetwijfeld kapot zou maken. 'Er is niks aan de hand hoor, mevrouw Dickson.' Om beleefd tegen haar te zijn, sprak hij met zijn schoolstem – Schotser dan de stem die hij thuis gebruikte, maar niet zo Schots als zijn speelstem en niet luid en met een kans op vloekwoorden zoals vanaf nu altijd kon gebeuren als hij er zin in had. 'Het kwam door de sneeuw.' Zijn woorden klonken onbeholpen: hij kon niet altijd meteen van het een in het ander veranderen.

'Sneeuw springt niet vanzelf op jongetjes. Trek alles wat nat is maar uit.' Ze maakte haar stem harder – zoals mensen thuis in het gezin doen als ze geen tegenspraak dulden. 'Jim brengt het naar de droger en hij leent je zijn badjas. Die blauwe, Jim. Hup, vooruit.'

Mevrouw Dickson was niet knap, dus probeerde Jim zo aardig mogelijk te zijn, want lelijke mensen waren de hele tijd verdrietig en dat was het ergste wat er was op de wereld.

'Ja, mevrouw Dickson.'

'Niks "ja mevrouw" – maak liever dat je wegkomt, jullie twee, jullie maken de hele boel hier nat.'

'Ja, mevrouw Dickson.'

Boven op de kamer van Jim ging Ronald op het voeteneinde van het bed zitten met zijn onderbroek en hemd nog aan – die waren ook wel een beetje nat, maar die ging hij echt niet uittrekken. De badjas lag naast hem te wachten: maar hij vond het vreemd om de kleren van iemand anders te dragen, en het was nog niet nodig, hij voelde zich uitstekend.

De geluiden van een vreemd huis bereikten hem en hij probeerde ze te duiden. Ronald kon horen, dacht hij tenminste, dat alle televisies tegelijk aanstonden: het klonk alsof er mensen ruzie hadden, maar het waren maar televisies, daar kon hij zeker van zijn: met gepraat en muziek, zoals de bedoeling was. Ergens draaide een soort motor, verder naar beneden.

Het was een vreselijke bende hier in huis: zijn moeder zou nooit toestaan dat het er thuis zo uitzag, ze zou wel beter weten. De enige nette plekken hier waren de keuken en de mooie kamer. Toch was het huis veel groter dan waar hij woonde, en dan al die televisies – drie – en een snookertafel en een enorme vrieskist vol hamburgers, kippen en een half lam – hij had er samen met Jim in gekeken – en ze hadden een eigenaardig, enorm fornuis, waar Jim het hout voor mocht hakken: nou ja, de kleine stukken dan. Hij dacht dat de Dicksons wel rijke mensen moesten zijn: ze leken alleen niet rijk als je ze leerde kennen.

Het horloge dat hij voor zijn verjaardag had gekregen gaf bijna vijf uur aan, dus was zijn moeder thuis misschien bezig met het avondeten. Misschien zette ze juist een kop thee voor zichzelf voor ze verder moest met alles, dat leek hem het waarschijnlijkste. Als hij nu thuis zou zijn en alles was in orde, zou hij bij haar zitten en melk drinken uit zijn eigen glas, ze zouden het er samen even van nemen, zoals je soms wel eens nodig had. Hij moest er nu snel vandoor.

Hij besloot de badjas toch maar aan te trekken. Het ding zat niet slecht, knus: hij rook naar een ander wasmiddel en naar de Dicksons, en Ronald kreeg zin om een tijdje opgerold op zijn zij te liggen. Als je je oprolde was het makkelijker om behaaglijk en rustig te zijn: dat had zijn moeder hem uitgelegd. Maar het was iets wat je alleen thuis deed, niet bij andere mensen.

Hij trok zijn armen op in de geleende mouwen tot zelfs zijn vingers verdwenen waren. Het moest vreselijk zijn om geen handen te hebben. Ronald begon zich voor te stellen dat hij

93

ze allebei tegelijk zou verliezen, misschien in een gevecht met een hond of zoiets, of als hij iemand voor een ongeluk probeerde te behoeden. Jim glipte binnen zonder dat hij het merkte.

'Ha! In dromenland!' Jim gooide hem plat op het bed en samen rolden ze over de dekens, en Ronald begon zich af te vragen hoe lang hij hoorde door te vechten, toen Jim alweer wegsprong en opstond. 'Kom, ik laat je wat zien. Iets knettergeks, oké?'

'Ik, ja... Aye.' Terwijl Jim onder het bed rommelde, likte Ronald de binnenkant van zijn bovenlip – hij moest zich gestoten hebben, want het smaakte warm en het begon dikker dan normaal te worden. Hij kon de flauwe indruk van zijn tanden voelen. Maar hij maakte zich er niet druk over – hij hoefde er niet aan te denken, niet als hij besloot om het niet te doen.

'Hebbes.' Jim dook weer op met zijn schooltas en hield hem omhoog, wat helemaal zo gek niet was, maar toch bleef Ronald kijken.

'Precies wat we nodig hebben.' Jim liep met grote stappen naar het raam, keerde zijn tas ondersteboven, schudde hem leeg en keek om. Ronald kon zien dat hij om een knikje vroeg, of om een 'aye', of misschien een schouderophalen, en dat dit genoeg zou zijn om hem te laten beginnen. Jim stond op het punt iets verschrikkelijks te doen, maar Ronald zou de schuld krijgen. En Ronald wist dat dit hem niet mocht schelen, omdat niets hem kon deren, dus liet hij zijn hoofd zakken en zijn glimlach maakte dat Jim het raam openschoof, wijd open, en de nacht liet binnenstromen.

Ronalds maag draaide zich om, maar op een prettige manier: niet alsof hij bang was, maar alsof de slechtheid binnenklom om hem te helpen plezier te maken.

Nog voor de eerste kou hen beroeren kon, pakte Jim een

dun blauw boekje op: zijn huiswerkoverzicht, wat je nooit van z'n leven kwijt mocht raken, en hij slingerde het met een armzwaai naar buiten, heel ver. Ze hoorden het in de sneeuw ploffen – een zachte, onvergeeflijke landing. Toen koos Jim een kladblok, dat dezelfde weg ging, tussen de glimmende sneeuw en de diepe hemel door.

Dit keer steeg het woord tot achter Ronalds tanden en het paste perfect: 'Kut.'

'Ook een keer proberen?' Jim gaf hem het gebonden grammaticaboek dat ze moesten gebruiken: honderden zinloze zinnen stonden erin, allemaal opgebouwd uit geheimzinnige delen – werkwoorden en zelfstandige naamwoorden en leestekens. Daar had je helemaal niks aan.

Ronald wist dat Jim problemen zou krijgen, dat de sneeuw zijn boeken zou verpesten en dat iedereen hem een uitbrander zou geven, op zijn minst. Maar Ronald nam het boek al aan, en hij hield het vast en begreep hoe prachtig het zou zijn om het dood te maken, het te verdrinken in sneeuw, en Jim was enthousiast, enthousiast tegen hem, en hij dacht dat hij Maffe Ronnie was en dat hij hem hiermee een plezier kon doen – daar was Jim, die indruk op hem wilde maken en niet voor hem wilde onderdoen – nooit eerder was het gebeurd dat een jongen als Jim zoiets gewild had.

En het boek was niet van Ronald, dus gaf het niet. Hij kon slecht zijn en het zou niet erg zijn, niet voor hem.

Hij leunde naar voren om uit het raam te kijken en hij zag, duidelijk in het fonkelende, golvende wit, de kleine donkere vlek waar het water was open gehouden aan één rand van de bevroren vijver. De vader van Jim had een tuinslang uitgelegd die water aanvoerde en voorkwam dat het ijs zich kon sluiten, zodat zijn eenden konden zwemmen. De eenden waren van een zeldzaam ras, en duur.

De vijver moest de plek zijn: de beste, de ergste plek. Alles wat daarin terechtkwam zou eenvoudig verdwijnen. Het was een flinke afstand, maar Ronnie kon gooien, hij wist hoe het moest. Thuis oefende hij urenlang in de tuin, geconcentreerd, zich voorstellend dat hij op een gezicht richtte.

Dus liet hij zijn oogleden zakken en ademde in zoals een Indische yogi zou doen. Hij bepaalde in gedachten waar de vijver was en reikte er als het ware naartoe, stelde er een figuur op, hulpeloos aan hem overgeleverd. Toen boog hij zijn arm helemaal terug. Hij ademde uit. Hij wierp vanuit de schouder, en verder naar de pols. Hij meende het.

Toen deed hij zijn ogen open en keek samen met Jim hoe het boek dwars door het licht van de boerderijramen scheerde. Het had iets heel moois, de glanzende randen, de sierlijke zweefvlucht. Het laatste stuk van het traject kon hij niet echt volgen, maar uiteindelijk kwam de plons en...

'Kut.' Jim keek hem aan, ernstig, en hij gaf hem een schrift en pakte er zelf ook een, hij liet Ronald helpen bij zijn ondergang.

Daarna wierpen ze samen, steeds sneller achter elkaar, fluisterend tussen hun tanden terwijl ze de boeken hoorden neerkomen en genoten. En het liniaal, de potloden, het gummetje, het etui: alles verdween onder water en sneeuw. Ronald wist zeker dat hij de vijver niet één keer gemist had.

Toen er niets meer over was, leunden ze uit het raam, terwijl vóór hen hun adem in hete wolkjes vervloog. Ronald had het idee dat alles om hen heen nu hun geheim was en een bewijs van wie hij was.

'Doe verdorie dat raam dicht. Wil je soms kou vatten?'

Jims vader, een reus in de deuropening, maakte dat ze van schrik tegen elkaar op botsten, en Ronald voelde zijn maag samentrekken, maar het enige wat volgde was: 'Ronnie, je vader aan de telefoon', dus moest het in orde zijn – het was alleen maar vanwege het raam, dat Jim nu schokkerig liet zakken – verder hoefden ze geen narigheid te verwachten.

Ronald schoot half rennend onder de gestrekte arm van meneer Dickson door. 'Rustig aan – die onder aan de trap in de hal.'

En daarna werd het moeilijk, want Ronald was opgewonden, hij had een fantastische dag gehad, hij werd sterk, en zijn vader zei dat hij kon blijven – hij hoefde niet naar huis te komen, omdat het morgen zondag was en de Dicksons vonden het best – hij kon met ze mee-eten en in hun huis blijven slapen en morgenochtend nog bij Jim zijn en later worden opgehaald en het zou vast leuk zijn. Hij kon wegblijven.

'Mag het?'

'Als je wilt.'

Ronald kon er niks aan doen – hij wilde. Toch zat hij er een beetje over in dat hij zou blijven; het drukte tegen de rand van zijn blijdschap en probeerde erdoorheen te breken, maar als hij zich concentreerde werd het zwakker, zonk weg.

'Als het mag, dan graag. Ja.'

'Goed dan.'

Het was een makkie geweest – toen rende hij terug naar Jim zonder zich schuldig te voelen, zonder iets te voelen, zelfs niet over de boeken.

Eten bij een andere familie maakte hem opgelaten. De hitte was nog niet uit zijn pas gedroogde kleren verdwenen, en toen hij zijn soep op had voelde hij zich plakkerig en klein.

'Wat denk jij van de olie, Ronnie? De Noordzee zit er vol mee, zeggen ze. Lijkt dat je wat, een baantje op een platform? Werk zat tegen de tijd dat jij er klaar voor bent.'

Het was moeilijk te zeggen of meneer Dickson grapjes maakte. Hij stelde vragen die nergens op sloegen – maar door de manier waarop hij ze stelde, dacht je dat ze toch iets te betekenen hadden en dat je waarschijnlijk te stom was. 'Ik... Ik kan niet...' Ronnie bloosde, de twee oudere broers van Jim keken hem aan als herdershonden en maakten het nog erger. 'Ik kan niet zwemmen.'

'Des te beter. In de Noordzee kun je niet zwemmen, jongen – veel te koud. Je mag blij zijn als je snel verzuipt daar.'

Mevrouw Dickson zoog lucht in tussen haar tanden en Ronnie zag dat er een frons op het gezicht van haar man verscheen.

'Die kankerlijers uit Amerika.' Meneer Dickson stuurde het gesprek een andere kant op. 'Koud weg uit Vietnam of ze komen naar Aberdeen. Ik betwijfel of we er ooit een cent van zullen zien – het gaat allemaal terug naar Texas tegelijk met onze olie.' Opnieuw zoog zijn vrouw op haar tanden en Ronald boog zijn hoofd, want hij wilde geen ruzie waar hij bij was.

Meneer Dickson zweeg en prikte in zijn karbonades, maar toen glimlachte hij. Mevrouw Dickson knikte tevreden, en Ronalds schedel ontspande zich. Meneer Dickson wreef over zijn stoppelige kin – hij liet zijn baard nooit staan, maar gladgeschoren was hij ook nooit. De vader van Ronald schoor zich iedere ochtend: wat er ook gebeurde, hoe laat hij ook was opgebleven – hij lette op zijn uiterlijk. En hij vroeg Ronald niet naar zijn plannen voor later.

'Maar één ding zeg ik je, Ronnie, word nooit boer.' De mannelijke Dicksons zaten zachtjes te proesten bij het idee – Boer Ronnie – en mevrouw Dickson tuitte haar lippen en Ronald bloosde nog dieper, tot Jim hem kneep onder tafel, en knipoogde toen hij zich omdraaide om te zien waarom – *wij weten immers wie jij bent: Maffe Ronnie, en wij tweeën, boekmoordenaars, wij weten het.* Toen moest Ronald zelf ook lachen en hij viel aan op zijn laatste stuk karbonade. Ook al zaten er botten in, Ronald hield van karbonade.

Toen werd het rustig aan tafel, en er werden grapjes gemaakt waar niemand bezwaar tegen kon maken, en als toetje was er chocoladecake met custard, wat Ronald ook al zo lekker vond – zijn moeder kocht de toetjes tegenwoordig, ze maakte ze niet meer zelf. Jim begon over het sleeën te vertellen, op het gevaar af dat hij zou verklappen wat ze gedaan hadden, en hij deed net alsof het allemaal spannend en expres was geweest. Een van de katten was binnengeglipt en streek langs Ronalds schenen, aanhankelijk, dus probeerde hij zich vooral daarop te concentreren, maar toch zweette en bloosde hij nog erger dan voorheen.

Een echte yogi zou dat probleem nooit hebben en Maffe Ronnie ook niet: die zou er vrolijk onder zijn gebleven. Maar Ronald kon de knagende gedachte dat hij thuis hoorde te zijn, dat het een vergissing geweest was om hier te willen blijven, niet tegenhouden.

'Kijk nou toch – je zit half te slapen.' Mevrouw Dickson leunde naar voren om hem in zijn schouder te knijpen en gaf hem een zacht, onzeker gevoel. 'Dat krijg je ervan als je de hele middag halsbrekende toeren uithaalt. We stoppen je in bad en dan is het bedtijd.' Ze was echt veel lelijker dan zijn moeder, maar ze had rustige ogen. Hij kon zich haar niet huilend voorstellen.

'Ja, mevrouw Dickson.'

Maar toen kneep ze opnieuw en keek hem aan alsof hij haar verdrietig gemaakt had: 'Je bent een lieve jongen.' Hij had haar niet bedroefd willen maken.

Meneer Dickson schraapte zijn keel en sprak luid en kordaat: 'Het is een goeie knul – beleefd ook. Zo een hebben we nog nooit in huis gehad.'

Iedereen glimlachte naar Ronald, maar behalve Jim keken ze allemaal alsof ze iets ongelukkigs in hem zagen, of misschien iets beangstigends. Zijn hoofd begon strak aan te voelen.

Het bad maakte niet dat hij zich beter voelde: de verkeerde zeep met een vreemde geur en de handdoeken ruw. Hij trok de badjas van Jim weer aan en liep de koele gang op met zijn gevouwen kleren, zijn onderbroek verborgen in het midden, en met een draaierig gevoel achter zijn ogen. Hij dacht dat hij misschien ziek moest worden, maar mevrouw Dickson stond op hem te wachten, dus deed hij zijn best om er gezond uit te zien.

'O, wat ben jij moe.' Ze leidde hem weg bij de slaapkamer van Jim. 'Maar dat is alleen maar goed.' De badjas sleepte over de vloer terwijl hij liep, alsof hij heel klein was. Ze bleef praten: 'We willen geen herrie 's nachts – we staan om vijf uur op, dus kunnen we onze nachtrust wel gebruiken', deed toen een deur open en liet hem binnen in een nogal lege slaapkamer waar alles bruin was, met een enorm bed en een stoel, verder niets. 'Maar als je iets nodig hebt, kom het dan gerust zeggen – je kunt ons daar vinden.' Ze wees, ver- onderstelde Ronald, naar een andere kamer ergens aan de gang, waar ze waarschijnlijk sliep met meneer Dickson, maar hij lette niet op. Hij piekerde er niet over om hen wakker te maken.

'Welterusten dan, Ronnie.' Ze kuste hem boven op zijn hoofd, wat hij niet verwacht had. Hij kon zich niet voor- stellen dat ze Jim zou kussen – of het moest zijn als er niemand bij was.

'Welterusten, mevrouw Dickson.'

Het was een opluchting toen ze de deur dichtdeed, want nu kon hij zijn spullen op de stoel leggen, het licht uitdoen, in bed stappen en zich oprollen – dat betekende dat hij tot rust zou komen.

Het matras maakte holle, metalige geluiden toen hij in bed

klom, met de dekens zwaar op zijn lichaam. Hij had geen pyjama, maar had er niet over willen beginnen. Maar het was goed zo, die hadden yogi's ook nooit. Er borrelde lucht in de radiator. Daarna was hij alleen zonder geluid en er was niets om zijn gedachten tegen te houden.

Ik heb een fout gemaakt – een grote fout – ik had niet moeten willen blijven, ik had er niet om mogen vragen.

Maar het was niet mijn schuld, het was hun schuld. Ik wilde ergens anders zijn – niet voor lang – één dagje maar – een rustige dag.

Het was niet mijn schuld.

Nu is ze daar alleen.

Zijn moeder – met haar beste halssnoer met de rode kralen die granaten waren, nog van zijn grootmoeder geweest, die was gestorven voor hij geboren was. Zijn moeders ogen – blauw als de zijne, behalve als ze moest huilen – en haar geur, haar warme huiselijke geur – en dat ze de enige was die hem Ronald noemde, zodat dat zijn naam was, zijn echte naam – en hoe ze hem soms kuste, op zijn ogen en dan op zijn mond, wat het beste was – en de manier waarop ze danste op de muziek van de radio, zó dat je niet mee wilde doen, alleen maar kijken, omdat ze zo gelukkig was, en je hoefde haar alleen maar aan te kijken en haar vrolijkheid in te ademen en dat was genoeg – en haar handen, de allermooiste handen waren het – en hij had haar alleen gelaten. Ze was daar met zijn vader en niemand om te helpen en hij was niet te vertrouwen. Ronald begreep dat en zij niet, of pas als het te laat was. Ze was daar alleen en er zou iets ergs gebeuren.

Alstublieft, laat haar veilig zijn.

Kut!

Het was nu deel van zijn hoofd geworden, zijn woord, zoals het dat ook van zijn vader was.

Kut!

Alstublieft, laat haar veilig zijn.

Hij kon de Dicksons niet vragen of hij even mocht opbellen, omdat hij niet kon vertellen waarom. Hoe dan ook, als hij belde, zou zijn vader opnemen en liegen, zoals hij altijd deed, en hij zou hem niet komen ophalen, niet vanavond.

We zouden weg kunnen lopen, ergens anders zijn met zijn tweeën, bij de Dicksons, of ergens anders. We kunnen weglopen. Ik weet hoe het moet, ik weet wat we zouden meenemen.

Ronald was niet sterk, hij kon de deur niet intrappen als zijn vader hem op slot deed – Ronald kon hem niet slaan, niet genoeg. Soms als hij schreeuwde, als hij inademde als een yogi, diep in zijn borst tot het pijn deed en het dan uitschreeuwde en door bleef gaan, doorging tot hij het niet meer kon horen hoewel het er nog wel was, alsof iemand hem bij zijn keel greep – dan hield zijn vader soms op. Dan staarde hij hard in Ronalds ogen, maar daarna vertrok hij, reed ergens naartoe en kwam niet meer terug voor het ochtend was. Ronald kon hem laten vertrekken, maar hij kwam altijd terug.

Als ze met me meekwam, zouden we met z'n tweetjes zijn, we zouden ons kunnen redden. Ze moet met me meekomen. Ze moet met me meekomen, verdomme.

'Hé, Ronnie...'

Jim deed de deur dicht en liep zachtjes op blote voeten naar het bed.

'Hé, Ronnie.'

Ronald slikte en zijn stem klonk heel klein. 'Ja.' Het laken spande over hem heen toen Jim op het bed kwam zitten.

'Die boeken – die zijn naar de filistijnen, hè? Niks aan te doen.' Jim haalde zijn neus op.

'Uhuh.'

'Dacht ik al.'

De duistere stilte trok zich om hen samen. Jim haalde opnieuw zijn neus op. 'Mevrouw Jepson heeft de pik op me – de stomme koe.'

Zo ging het altijd. Als Ronald het eenmaal met iemand kon vinden, maakte hij hem verdrietig. Hij kon nooit iemand pijn doen aan wie hij een hekel had. Zijn slechtheid kwam nooit op het juiste moment.

Hij probeerde aardig voor Jim te zijn, nu het kwaad was geschied. 'Ze kan niet de pik op je hebben, dat mogen onderwijzers niet.'

'Dat heeft ze wel, verdomme. En maandag heb ik geen boeken bij me. En ook geen huiswerk.'

'Zeg dat je ze verloren hebt.'

'Allemaal?'

'Aye.'

'Ze zal denken dat ik haar voor de gek houd. Ze zal het tegen moeders zeggen.'

Ronald kon niet nog een leugen opbrengen. 'Waarschijnlijk wel.'

'Ik zit in de puree.'

Jim ging achterover liggen, misschien huilde hij wel – Ronald had nooit gedacht dat hij dat kon en wilde samen met hem verdrietig zijn, maar het lukte niet. Hij had willen huilen toen hij aan zijn moeder dacht, maar ook toen had hij het niet gekund. Er was iets mis met hem. 'Anders zeg je tegen mevrouw Jepson dat ik je geholpen heb...' Dat meende hij niet echt, maar hij hoorde ergens om in de nesten te zitten: hij verdiende het.

Jim liet hem wegkomen met niet meer dan het aanbod. 'Dat zou ze nooit geloven. Jij doet nooit iets.' Hij scheen zich alweer beter te voelen, wel een beetje boos.

'Ik doe wel dingen... Best wel. Ze merkt het alleen niet.'

'Als ik zou zeggen dat jij geholpen hebt, zou ze woedend

worden – op mij.' Jim zweeg. Toen was er een gesputter, een giechelig schudden van het bed. 'Weet je wat – ik bezorg haar een hartaanval. Ik zeg dat ik al die kutboeken uit het raam heb gekeild en dat het me geen flikker kan schelen, dat ze de tering kan krijgen – ze zou verdomme een rolberoerte krijgen.' Hij liet een gesmoord lachje ontsnappen. 'Wat dacht je daarvan, hè?' Jim bleef nooit lang verdrietig.

Ronald vond mevrouw Jepson aardig. 'Ik weet niet...' Ze liet hem nablijven om haar te helpen opruimen.

'Ach, het kan me niet bommen ook. Dan werk ik toch op de boerderij, zo gauw ik zestien ben. Of ik ga bij het leger – maar wel bij de para's, hè? Achter uit een vliegtuig springen, wanneer je maar zin hebt.'

Ronald stelde zich de boeken voor, hoe mooi ze door de lucht hadden gescheerd, en het gevoel van slechtheid toen het nog deel van hem was geweest. 'Het was fijn om ermee te gooien. Of niet soms?'

'Reken maar.' Jim rekte zich uit. 'Het was Maffe Ronnie, dat. Maffe Ronnie.' Hij bleef stilliggen en begon te brommen, bijna te snurken.

Eerst dacht Ronald dat hij deed alsof hij sliep, 'Jim,' maar toen ontspande zijn ademhaling, 'Jim', en hij was vertrokken.

Dus sloot de gedachte aan het huis waaraan hij ontsnapt was Ronald in, overviel hem en eiste hem op, en hij was niet langer Maffe Ronnie, was alleen zichzelf en kon er niet tegen vechten.

Stikken kan ze. Stikken!

We hoeven niet te blijven, het kan niet dat we moeten blijven.

Hij móést van haar houden. Hij híéld van haar. Misschien hield ze wel niet van hem.

Kut!

Omdat hij een achterlijke klootzak was, net als zijn vader.

Alstublieft, laat haar veilig zijn. Het is belangrijk dat ze veilig is.

Hij lag stil, net als toen hij onder de sneeuw lag. Hij wou Jim niet wakker maken.

Alstublieft, als u zorgt dat ze veilig is, ga ik nooit meer weg. Dan zal ik altijd blijven. Alstublieft, laat haar veilig zijn. Laat haar niet denken dat ik ben weggelopen. Laat haar niet eenzaam zijn.

Maar na een tijdje werd Jim vanzelf wakker: hij bewoog, gleed van het bed af en vertrok zonder iets te zeggen. Ronald merkte het nauwelijks.

Alstublieft, laat haar veilig zijn.

Kut.

Kut!

Alstublieft, laat me niks voelen.

Thuis ging het precies zo als het schreeuwen begon, en dat andere geluid, als alles maalde in zijn hoofd en hem meesleepte, te snel.

Laat haar verdomme veilig zijn laat haar veilig zijn laathaarverdommeveiligzijn laathaar veiligzijn.

Laat me niks voelen verdomme niks voelen niks voelen.

Dit zou tot 's morgens vroeg zo doorgaan, omdat hij niet veranderd was.

niks voelen

Het ontbijt was in de keuken, maar hij hoefde niet. Hij had een vreemde smaak in zijn mond – hij had zijn tanden niet gepoetst gisteren – geen tandenborstel.

'Alles goed?' Jim zat bacon tussen twee sneetjes toast te vouwen. Ze waren met z'n tweetjes, alle anderen waren aan het werk.

'Uhuh.'

'Geen honger?'

'Ik kon niet slapen.'

'O.' Jim nam een hap van zijn boterham. 'Goed dat je bent

blijven logeren, joh. Je kunt vaker hier komen en blijven logeren, toch?'

Nee. Dat kan niet. Nooit. 'Aye.' Ronald merkte dat hij bijna moest huilen en haastig stond hij op om nog wat sinaasappelsap te halen.

'Je hebt dorst zeg.' Jim was anders vanmorgen, voorzichtiger, meer het formaat van Ronald.

'Aye.'

In stilte maakten ze hun ontbijt af en gingen naar buiten de sneeuw in; Ronald moest hoesten van de vinnige kou.

'Heb je zin om wat te doen?' Jim hoopte dat Maffe Ronnie een idee zou hebben.

'Ik weet het niet. Ik weet niet hoe laat mijn vader komt – hij komt me ophalen.'

'Na het middageten.'

'Misschien niet zo laat.'

'Misschien niet – waarschijnlijk heb je gelijk.' Jim trapte tegen een bandenspoor. 'Er komt hier niet vaak iemand langs – ze denken dat het hier saai is.'

Links was een hoekje van een schrift te zien. Ze wendden zich af.

'Ik zal zeggen dat het niet saai is.'

'Eerlijk?'

'Aye.' En Ronald maakte een sneeuwbal, richtte hem op een jong boompje, een sprietig ding, schatte hoe hij zou vliegen en liet los. Raak.

Jim klonk niet vrolijk, hij was zichzelf niet. 'Goed idee. Dat kunnen we doen. Werpoefeningen. Aye... Dat doen we.'

Dus sjokten ze om het huis en gooiden met sneeuwballen, en stiekem stampten ze de sneeuw aan als er een spoor van een boek doorheen schemerde. Maar het was zinloos: als de dooi kwam zouden ze gevonden worden. Jim zou overal de schuld van krijgen en hij niet.

Ronald merkte dat ze geen van tweeën op hun gemak waren, en het wás ook saai, maar eigenlijk was hij al vertrokken, dacht hij al aan onderweg, aan worden opgehaald.

'*Krijg de tering!*'

Ronald sloeg zijn laatste sneeuwbal hard tegen de zijkant van Jims hoofd. Jim ademde kort uit, met een blanco uitdrukking op zijn gezicht, misschien wel gevaarlijk.

Toen graaide hij lachend wat sneeuw bij elkaar en wierp een kluit natte kou. 'Recht in je porem verdomme. Hoe vind je dat, hè?'

Ronald dwong zich om ook te lachen, maakte zijn lach luider, stortte zich halsoverkop in het sneeuwballengooien, of gooien met wat hij maar vinden kon.

Alstublieft, maak het zo dat ik niks voel.

Ze glibberden om de koeienstal heen, gooiend met twee handen, en Ronald werd warmer, begon zichzelf te verliezen, op een vrolijke manier boos. 'Kankerlijer.'

'Kijk naar jezelf, boerenlul.'

Hijgend stormden ze het erf op. Jim, van zijn stuk gebracht door zijn ergste woord, remde af en klopte Ronald goedkeurend op zijn schouder, terwijl Ronald zich omdraaide, zijn glimlach terugnam en bleef staan.

Hij herkende de auto van zijn vader. Hobbelend reed hij de laatste meters over het bevroren bandenspoor, om hem op te halen, de brede handen om het stuurwiel geklemd, dat gezicht. De klap van het portier deed de kraaien opvliegen.

Ronald rende de kant op die van hem verwacht werd, pakte zijn tas, schudde de sneeuw van zich af. Buiten stond Jim naar zijn vader te grijnzen, wat te verwachten was: zijn vader was slim en hij kon iemand als hij aan het lachen maken.

'Ik ben klaar om te gaan.'

Ronald sloeg Jim zachtjes tegen de zijkant van zijn hoofd en voelde zich misselijk toen hij naar hem glimlachte – ze waren geen vrienden, niet zoals Jim gehoopt had.

Al snel zat hij in de auto met de gordel om en rook de geur van zijn vaders aftershave en de sporen van thuis.

Alstublieft, laat me niks voelen.

Jim zwaaide toen de auto optrok en Ronald zwaaide terug, voelde hoe zijn leugen vorm aannam, koud bij zijn gezicht. Een tijdje werd er niets gezegd.

Niks voelen.

'Heb je het leuk gehad?' Aan de stem van zijn vader kon je niet horen wat hij gedaan had, hoe zijn humeur was.

Ronnie, Ronnie, knettergek, knettergek, knettergek. Ronnie, Ronnie, knettergek. Kne. Ter. Gek.

'Ik vroeg of je het leuk had gehad.'

'Best wel.'

'Best wel?'

'Aye.' Met zijn gezicht naar het raam en de vuilbruine rand van de weg, de bomen heel spichtig en alsof ze bang waren. 'Het was best leuk. Aye.'

Verderop schitterde de sneeuw, een helderwitte vlakte die om hen heen tolde en Ronald hier in het midden, zo klein dat hij er niet toe deed en zich geen zorgen hoefde te maken. Zijn moeder trok zich alles aan, en daarom leed ze.

Alstublieft, helemaal niks.

Maar uiteindelijk sloeg de angst altijd om in iets anders, je hoefde maar te wachten. Dat zou hij haar leren.

Het was geen kwestie van wensen, of van doen alsof, en wonderen bestonden niet. Het ging erom je te concentreren tot je een ander mens werd, iemand die je vader niet verwachtte. Ronald zou wachten tot hij groter en sterker was en dan zou het gebeuren, het zou hem lukken: hij zou een slechte zoon zijn.

GEVOELIG VOOR AANRAKING

Hij was op weg om de dozen op te halen toen hij besefte wat hem nog het meest beangstigde: de rekenkunst. Vijfendertig was nauwelijks iets, helemaal niet veel, tot je het met twee vermenigvuldigde en het zeventig werd, wat wel een hoop was, meer dan iemand als hij kon verdragen, hij dacht niet dat hij dat zou halen, het zou een opluchting zijn om het niet te halen. Wat betekende dat hij van middelbare leeftijd was.

Zo veel mensen waren van middelbare leeftijd, de meeste mensen die hij kende, maar zij beschouwden zichzelf meestal als nog vrij jong. Ze deden jonge dingen en maakten geen belachelijke indruk. Tom wilde net als zij zijn, ook nog vrij jong, en soms lukte het hem, dan had hij het onder controle. Maar als hij alleen was, begon hij te vermenigvuldigen, af te trekken, dan zag hij in dat hij zeker de helft van de weg naar de dood al had afgelegd, dan begon de achterkant van zijn dijen te tintelen en zag hij minder goed — het werd wazig in de verte — en wilde hij dingen kapotmaken, maar hij had nooit de moed gehad om iets te vernielen, behalve misschien zijn eigen leven, waardoor hij nog meer gedeprimeerd raakte. En het gewicht van zijn berekeningen, de kilte ervan, werd nog veel erger als hij de zon zag ondergaan, als de grote nacht over de aarde neerdaalde, of als er ergens snijbloemen stonden, die zienderogen stierven — of als een dwaas op de radio, of op een feestje, oude platen draaide en hem herinnerde aan het vreselijke rafelen van zijn tijd.

Een man, zevenendertig jaar oud misschien, stapte verstrooid de straat op en verloor de moed, twijfelde tussen een wankele terugtocht en een spurt naar de middenstreep. Tom ramde op zijn claxon en zag licht geamuseerd hoe zijn bovenlichaam schokte en zijn armen onbevallig fladderden, voor hij zich omdraaide om dekking te zoeken tussen de geparkeerde auto's. Goed om een ander bang te zien, iemand die ouder was.

Parkeren was een crime hier, maar ook daar werd Tom vrolijk van: het was een probleem dat niet met leeftijd had te maken. Niemand kon hier een plaatsje vinden, zelfs een peuter niet – mocht een peuter het ooit proberen. En te oordelen naar de stijl van rijden die hij onderweg had waargenomen, hadden kinderen van onder de vijf zich *en masse* op de openbare weg begeven.

Niets van dit alles had echter zijn hoofdpijn kunnen verhelpen, ook niet twintig minuten lang door verstopte zijstraatjes rijden, tot hij een oude feeks met een verwilderde haardos liet schrikken die met haar Volvo tussen de stoeprand en twee minibusjes uit probeerde te komen. Hij onderdrukte de neiging om uit zijn auto te springen en te schreeuwen, knikte haar zelfs bemoedigend toe toen ze haar motor opnieuw liet afslaan. Toen ze er eindelijk met horten en stoten vandoor ging, stak hij in met een kort beklag van zijn versnellingsbak. Zo alarmerend had zijn achteruit niet vaak geklonken, hij moest snel eens een weekend uittrekken om ernaar te kijken, zijn auto een grote beurt geven.

Maar voorlopig was zijn enige prioriteit om pijnstillers te vinden, dus liep hij eerst bij de drogist binnen en kocht zijn favoriete bruistabletten. Het meisje achter de kassa – geen goede reclame voor de huidverzorgingsproducten van de winkelketen – staarde hem aan toen hij de verpakking openscheurde, een tablet in tweeën brak en één helft in zijn mond stak. Zoals gewoonlijk zwol het ding bitter op, prikkelde en begon zijn nobele werk. Nog even en de hoofdpijn zou verdwijnen.

'Zo moet u ze eigenlijk niet innemen.'

Als zijn mond zich niet juist had gevuld met de galsmaak van een weldadig verdovend schuim, zou hij geantwoord hebben dat dit nu juist wel de bedoeling was, omdat ze zo het beste werkten.

'Ik bedoel, u moet ze eigenlijk met water innemen als u...'

Hij haalde zijn schouders naar haar op als een man die denkt: *zie je me al over straat lopen met een glas water in mijn handen? – Ik zou wel gek zijn.* Toen schoof hij de andere helft van het tablet tussen het zegel van zijn lippen, trok een gelukkige grimas en draaide zich om.

Op weg van de drogist naar de groenteboer slaagde hij erin nog eens twee helften in zijn mond te proppen, en nu al kon hij voelen hoe een zonniger stemming bezit van hem begon te nemen. Toen hij weer binnen stond, was de toestand achter zijn tanden nog een tikje ongeregeld – en zijn maag speelde één of twee keer oneerbiedig op – dus beende hij nog een paar minuten rond en inspecteerde de biologische groenten – die er bedorven uitzagen – en het gewone fruit – dat er giftig uitzag. Daarna, zeker van zijn vermogen om te spreken zonder te schuimbekken, liep hij op een met aarde besmeurde bediende af.

'Hebt u toevallig ook dozen?' Het 'toevallig' moest suggereren dat hij in de eerste plaats een klant was en derhalve recht had op respect.

'Nee. Het spijt me.' De man leek een beetje traag van begrip.

'Wat, helemaal niks?' Wat gebruikten ze dan in godsnaam: jutezakken, de zakken van hun jasschort, rustieke manden, droegen ze elk artikel soms met de hand naar binnen? Tom wierp een norse blik op de sinaasappels. 'U hebt sinaasappels.'

'Pardon?' Hij was echt traag, geen twijfel mogelijk, er was iets mis met zijn medeklinkers.

'U hebt sinaasappels – daar. Sinaasappels worden vervoerd in *sinaasappeldozen*.'

De winkelbediende knipperde verdrietig naar het bezwarende fruit. 'We bewaren de dozen niet. We maken ze kapot.'

'Waarom?'

'Wat?' Met één hand verfrommelde hij een stuk van zijn schort, sloom en slecht op zijn gemak. Waarschijnlijk was het niet de bedoeling dat hij dingen deed waarbij hij moest praten of met klanten omgaan: waarschijnlijk hielden ze hem achterin, waar hij de aardappels een voor een uit bestelbusjes mocht halen. Dat hij hier was moest op een vreselijk misverstand berusten.

Tom probeerde duidelijker te spreken, alsof hij sprak met iemand die werd bewaard achter glas, of onder aardappels, iemand die gecompliceerde medicijnen gebruikte. 'WAAROM MAKEN JULLIE ZE KAPOT? KOMEN ZE NIET BETER VAN PAS ALS ZE NIET KAPOT ZIJN?'

'Nee.' De ontkenning was van een dierlijke kalmte die in Tom de kortstondige impuls losmaakte om hem aan te vliegen.

Maar hij hield zich in. 'Ik snap het. U volgt alleen maar orders op, nietwaar? *Dingen kapotmaken*.' Dit was het elegantste weerwoord dat hij op zo korte termijn kon bedenken. Hij vertrok met een frons en een uitstraling van kennelijk verdriet, alsof het hem onmogelijk was, oprecht geschokt als hij was door de zinloze vernieling die hier dagelijks werd aangericht, om hen nog langer met zijn klandizie te begunstigen.

De kioskhouder was al net zo weinig behulpzaam, zij het

wat spraakzamer. 'Ze hebben vanmorgen het vuilnis opgehaald, dus veel zal er niet meer te vinden zijn.'

'Maar ik heb vandaag nog dozen nodig. Dringend.'

Er was een kleine, speelse verschuiving in de uitdrukking
van de kioskhouder, wellicht was hij een man van wereldse
ervaring. Misschien was hij zelfs wel dé MacLaren, die genoemd werd op het bord buiten: MACLAREN ROOKWAREN
KRANTEN EN TIJDSCHRIFTEN. 'De supermarkt. Daar zou u
het kunnen proberen. Daar gaan er heel wat doorheen op een
dag.'

'Dank u.' Af en toe kwam je nog mensen tegen die begrip
hadden voor de problemen des levens, mensen die niet
pedant of zwakzinnig waren.

'Maar meestal laten ze ze persen door een van de jongens.'

Niet weer. 'Waarom, in godsnaam?'

Op het gezicht van de man die misschien MacLaren was
zweemde een grijns. 'Geperst nemen ze minder ruimte in.'

'Geldt dat niet voor ons allemaal.'

En daar stond hij – MacLaren in eigen persoon, het kon
haast niet anders – inmiddels met een brede grijns, en hij
nam er de tijd voor, meesterlijk: 'Was er nog iets van uw
dienst?' De eigenaar in zijn domein, dé manier om het zelf
voor het zeggen te hebben, als je het aankon. 'Kan ik nog iets
voor u betekenen?' Duidelijk iemand die vaak grijnsde.

Tom, daarentegen, had er weinig ervaring mee. 'O, natuurlijk.' Dit was een bedrijf dat een aankoop verdiende. 'Ja, een
krant. Een goeie.'

'Welke leest u meestal?'

'Geen enkele.' Dit was niet helemaal waar, maar Tom wilde
opeens geen krant kiezen die hem in een kwaad daglicht zou
kunnen stellen. 'Kiest u maar.'

De grijns verbreedde zich, gniffelde. 'Kijk eens aan, hiermee kunt u voorlopig wel vooruit.' Een dik pak krantenpapier werd op de toonbank gekwakt. 'Sterkte.'

De krant was niet bepaald goedkoop, maar toch gooide Tom hem op weg naar de supermarkt in een afvalbak: hij was te zwaar, bestond uit te veel delen en hij had een verontrustende kop. Hij had al langer bedenkingen bij de kleurenbijlages: die stonden of vol jonge mensen die ongedwongen deden, of vol ouderen die zich groot hielden, hoewel ze hun beste tijd duidelijk gehad hadden. Ze richtten zich niet op de lezer van middelbare leeftijd die zich niets wijs liet maken.

In de supermarkt had weer eens iemand staan bakken, met de bedoeling om het er huiselijk te laten ruiken. Maar de dichte, klamme, desperate vanillelucht maakte dat Tom bijna moest kokhalzen. Hij niesde en bleef staan, net voordat de gang met blikconserven hem kon verwelkomen, en hij realiseerde zich dat hij hier vanmiddag misschien sowieso langsgekomen zou zijn. In een normaal weekend was het heel goed mogelijk dat hij zou komen aanwaaien om op zijn gemak het merendeel van de weekinkopen te doen voor Kate en hemzelf.

Dat kon hij vandaag niet doen, omdat Kate niet meer met hem wilde samenwonen.

Dit leek onwaarschijnlijk. Het was hopeloos waar, maar toch minder aannemelijk dan boodschappen doen om daarna terug naar huis te gaan.

Maar het was heel duidelijk geweest, of vrij duidelijk, dat hij niet meer thuis hoefde te komen.

En daarom had hij de dozen nodig. Daarin zou hij zijn spullen stoppen, want hij vertikte het om te verhuizen met alleen maar zwarte vuilniszakken: die waren demoraliserend, ze suggereerden dat alles wat hij bezat afval was, dat hij eruit werd gegooid.

Ook onwaarschijnlijk, maar ook een feit.

Hij nam een wagentje zodat hij iets had om op te leunen – hij dacht dat hij misschien zou willen leunen – en hij reed langs de schappen met vlees in blik en langs de toonbank met versgoed. Een man in zijn positie, nam hij aan, zou culinair op hellend vlak moeten raken: *baked beans* kopen en chocoladekoekjes en instantmacaroni met kaas. Om dit idee te logenstraffen, koos Tom voor risottorijst, deed twee handen champignons in een zak en verloor toen zijn belangstelling, hij leunde alleen nog maar en wandelde. Het was moeilijk om eten te kopen als je geen trek had.

En misschien zou hij merken als hij terugkwam dat de bui was overgewaaid, geen noodzaak meer voor individuele boodschappen. Vanmorgen zou het een slecht idee zijn geweest om tegen Kate te zeggen dat ze vreselijk overdreef, maar misschien was ze in de afgelopen uren zelf tot deze conclusie gekomen. Hij had het begrijpelijk gevonden dat ze van streek was geraakt als hij niet van plan was geweest om het haar uiteindelijk te vertellen, maar het was immers niet zo dat hij het echt geheim had willen houden. Hij had er niets over gezegd, dat was alles. Andere mannen kwamen ermee weg als ze een strafblad verzwegen, een verleden als vrouw, een tweede gezin, die vertelden botte leugens. Tom had alleen een geschikt moment afgewacht om haar de waarheid te vertellen.

Hij was zijn baan kwijt.

Dat was ook voor hem een nare ervaring geweest, traumatisch: maar ze scheen niet bereid om dit toe te geven. Tom had er een opzegtermijn van een maand uit weten te slepen en hij zat nu een week zonder werk, een week waarin hij geprobeerd had om eraan te wennen, om alle onzekerheid en paniek uit te bannen. Hij had zich erop voorbereid om het op te biechten als hij wat gekalmeerd was. Kate kon niet verkroppen dat hij het niet al vijf weken geleden verteld had. Dat was onredelijk en egoïstisch, wat niets voor haar was.

Tom was in het pad met thee terechtgekomen en hield de pas in. Om de een of andere reden kon hij zich niet herinneren wat voor thee ze graag dronken. Kate haalde hem uit de verpakking en deed hem in een oude bus die zij nu zou houden en hij niet. Het was trouwens een triest drankje, iets voor oude mensen, voor een alleenstaande man die de flat van een vriend leende, waar hij zou zitten piekeren over het feit dat hij geen baan had, geen mens om mee te praten, geen manier om de klok minder snel te laten lopen.

En de flat van Tony was afschuwelijk, het viel niet te ontkennen. Het was een allerlaatste toevluchtsoord: een in hormonen gedrenkt overblijfsel uit de dagen dat Tony nog alleenstaand was, toen ze allemaal alleenstaand waren. Tony overwoog nu en dan om hem te verhuren, maar hij bracht nooit de dringende verbeteringen aan die ervoor konden zorgen dat een evenwichtige huurder er zou willen wonen. Bovendien kwam het beter uit als er geen bewoner was, want dan konden Tony en zijn vrienden er gebruik van maken. Sommigen van hen plachten er te overnachten als ze het laat hadden gemaakt. Tom, Tony, Matt, wie dan ook: ze legden zich neer op de bank, op de vloer – het bed was altijd voor Tony – en sliepen hun roes uit. Dit was een attente, beschaafde manier van doen. Taxichauffeurs en echtgenotes, moeders en vriendinnen, ze hadden liever niet dat je probeerde thuis te komen: lomp, lawaaiig en misselijk. Het was het beste voor iedereen dat je naar de flat ging en daar instortte, om de volgende ochtend weer presentabel opnieuw te beginnen. De flat had zijn nut dus onomstotelijk bewezen, maar hij was in de loop der jaren een paar keer vreselijk toegetakeld.

Hij gooide wat theezakjes in het wagentje: de ronde soort. Kate zou ze nooit gekocht hebben, dus zouden ze hem niet melancholiek maken. Schoonmaakspullen, ook die zou hij nodig hebben: alle oppervlakken moesten vreselijk goor zijn, en in de badkamer zou het nog erger zijn.

Het was allemaal een grote vergissing. Maar Kate zou hem zo niet laten doorgaan, ze was niet wreed. De dag zou beter eindigen dan hij begonnen was. Dat kon niet anders. Ze hield van hem. Dat had ze nog gezegd.

'Pardon? Hebt u misschien ook dozen?' Zijn stem klonk mismoedig: hij moest oppassen, zorgen dat hij zijn zinnen bij elkaar hield, hoe dan ook.

Het meisje dat de schuurpoeders stond te ordenen keek verbaasd naar hem om. 'We hebben bussen of flacons met vloeibaar schuurmiddel...' Ze had rustige ogen, de ogen van een vergevingsgezinde vrouw.

'Nee. Ik bedoel, ik heb dozen nodig om dingen in te stoppen. Oude dozen die jullie weggooien. Ik ga verhuizen.' Hij had geprobeerd zijn laatste zin neutraal te laten klinken, maar het kwam er aarzelend uit, met de suggestie van een sterfgeval of het op andere wijze tragisch bezwijken van dragende muren.

'O.' Linda – dat was de naam op haar plaatje – keek hem meelevend aan. 'O, daarvoor moet u met Brian praten, achterin.' Medeleven kon gevaarlijk zijn op dit moment, het zou hem labiel kunnen maken. 'Of ik kan het voor u vragen.' Hij wilde niet in tranen uitbarsten, niet in een supermarkt.

'Dat zou heel vriendelijk zijn, Linda.'

Ze deinsde terug toen ze haar naam hoorde noemen: alsof hij ermee te kennen gaf dat hij haar stalker was.

'Het staat op je naamplaatje.'

Haar gezicht was verstrakt, ze slikte iets groots weg.

'Je naam. Op het plaatje.' Dit was goed, nu ergerde hij zich aan haar, waardoor hij wat extra energie kreeg en niet zo snel mistroostig zou zijn. 'Waar kan ik die Brian vinden?'

Haar stem werd weer wat vaster, maar was nog steeds zachter dan daarstraks, en ze hield haar ogen afgewend. 'Bij de klantenservice.' Ze bracht beide armen terug naar het schap met wasmiddelen en ontweek zijn blik.

'Dank je. Heel vriendelijk. Bedankt.'

Toen hij wegliep om het ontsmettingsmiddel uit te zoeken dat op het oog het krachtigst was, riep ze hem na: 'Ik zal eerst even met Brian praten.' Want hij had gelijk gehad, ze was van het vergevingsgezinde type.

'Dank je wel.' Het hoefde zo weinig moeite te kosten om het iedereen wat makkelijker te maken in de wereld: beleefdheid, vriendelijkheid, kleine handreikingen, één keer in de maand misschien. Maar er was zo veel negativiteit tegenwoordig, en een verbijsterend percentage daarvan was uitsluitend tegen hem gericht.

Hij hield stil om de ingevroren visproducten te bekijken: één vriezer was tot de rand toe volgestouwd met identieke blokken van een non-descripte grijze vissoort of visvervanger. Daar werd je ook niet vrolijker van, als je dat at.

En het was op dat moment dat zijn herinnering, zoals hij wist dat uiteindelijk zou gebeuren, het spook van Die Dag bij hem opriep: zijn eerste ervaring met uit elkaar gaan. Opnieuw kwam zijn smerige overall tot leven, zijn laarzen, het stukje modderige bodem waar hij naar staarde terwijl hij met haar praatte, met Melissa, en de toon waarop ze gezegd had: 'Wat bedoel je? Ik begrijp niet wat je bedoelt.'

Hij was vijftien geweest – wat in ieders ogen jong was – en hij werkte op een manege, niet omdat hij zo van paarden hield of zo graag wilde rijden, maar omdat hij graag sterker wilde worden, indrukwekkend gespierd, en hij kon geen betere manier bedenken. Aan sport had hij een gruwelijke hekel. Dus sjouwde hij met balen hooi en sleepte met zadels en schepte mest en zeiknat stro op, en toch had hij niet meer ontwikkeld dan wat brandplekken van de twijn en eelt op beide handen. Desondanks was hij er blijven werken, omdat hij er geld mee verdiende en — hij was een idioot dat hij daar niet bij had stilgestaan – omdat de manege vrijwel continue werd bevolkt door meisjes: prachtige, angstaanjagende vrouwen en adembenemende, afgetrainde meisjes. Af en toe doken er jongens op, met flodderige rijbroeken en opgetrokken schouders, maar die vormden voor niemand een bedreiging, zelfs niet voor hem.

Niet dat hij zijn roofzuchtige intenties publiek maakte – hij hield zich liever op de vlakte, ook toen al. Het enige wat Tom doorgaans deed als de meisjes er waren, was de hardste bezem pakken om met veel lawaai manhaftig de kinderkopjes aan te vegen, waarbij hij een fijne mist van poepwater en urine produceerde die iedereen in de buurt mocht inademen, hijzelf allereerst. Of hij hield zich op tussen de pony's, waar hij toegewijd de roskam hanteerde: vakkundig en onbenaderbaar, maar niet zonder iedere dinsdag de kans aan te grijpen voor een kort knikje naar Melissa.

Ze had de zachte oogopslag van iemand die geen oude koeien uit de sloot haalt later in het leven, dat had hij instinctief herkend. Maandenlang had hij naar haar gekeken, haar leren kennen: hoe fraai ze gekleed ging zonder ooit nuffig te zijn, hoe goed ze haar paard aanvoelde – meestal Buster – en de beweeglijke, sprekende spieren van haar dijen, die duidelijk, adembenemend zichtbaar waren, zelfs een veld verderop.

Hij had haar benen willen kussen. En haar mond. Hij had gehoopt dat zij zou begrijpen hoe het daarna verder moest. Hij had tot dan toe slechts één keer met iemand geflikflooid op een feestje, twee blikjes cider hadden hem doortastend maar onnauwkeurig gemaakt. Het was geen succes geweest – en hij had het gevoel gehad dat hij Melissa ontrouw was, en alles wat hij voor haar had willen bewaren, wat op haar lag te wachten.

Zijn diepste, meest uitgesproken hoop was geweest dat Melissa het goed zou vinden dat hij zich in haar bijzijn aftrok. Dat zou een efficiënt compromis zijn geweest: iets waar hij alles van wist, gecombineerd met iets wat geheel buiten zijn voorstellingsvermogen lag – en hij had geprobeerd het zich voor te stellen, serieus geprobeerd.

En toen: 'Wil je... zou je misschien... want ik...' Hij voelde zijn brein achter zijn ogen wegzakken, voelde hoe het weigerde en begon te rotten: 'want ik ben echt...' het kon niet lang meer duren of hij zou ineen zijgen tot een smerig hoopje stof, als een afgeworpen overall. 'Ik... Melissa.'

Natuurlijk had ze hem niet begrepen, niemand begreep hem. 'Wat bedoel je? Ik begrijp niet wat je bedoelt.' Het was alsof zijn leeglopende hoofd op eigen houtje was opgesprongen in de dichte, plakkerige lucht en ontdekt had dat het de gruwelijke gave bezat om te zien hoe Melissa's uitdrukking veranderde: van verwarring gemengd met angst in opkomende vrolijkheid en daarna in walging. Toen ze de walging bereikt had, was alles opgehouden.

Ze had niet om hem gelachen, dat was een soort genade geweest. Maar ze had de meeste andere meisjes over hem verteld en die hadden het wel gedaan. Tegen het eind van de dag was hij rillerig en gespannen van kwaadheid en ellende. Mr. Barker, wiens ijskoude vrouw de zaak bestierde, was door de holle avond aan komen sloffen met zijn geld en was voor zover Tom zich kon herinneren voor het eerst spraakzaam geworden.

'Nee, nee. Hou erover op. Ik weet er alles van. Katjes zijn het, stuk voor stuk. Kom maar mee naar het huis, vooruit.'

Tom had zich nooit in de buurt van het huis gewaagd, laat staan dat hij binnen was geweest. Mrs. Barker beschouwde het duidelijk als verboden terrein. Maar de brede, harde arm van Mr. Barker greep hem bij de schouders en leidde hem zonder pardon de modderige oprijlaan op.

'Zo, jongeman. Je weet wat je nodig hebt, nietwaar? Tegen liefdesperikelen.'

Opgesloten in de bruine woonkamer waar het naar hond rook, schudde Tom zijn hoofd, onzeker welke antwoorden Mr. Barker zou kunnen verwachten. Hij was helemaal opgefleurd toen Mr. Barker van achter de boekenkast als een tam konijn een bijna volle fles whisky had opgediept. Het was duidelijk dat Mrs. Barker niet thuis was.

Ze hadden als mannen samen gedronken tot het donker was, en Barker was nog ongedwongener geworden en Tom heerlijk beneveld. Het was zijn eerste ervaring met sterke drank. Hij was er tot dan toe bang voor geweest, maar nu ontdekte hij dat in ieder geval whisky een beminnelijke, zachte drank was. Barker, die er doorgaans wel raad mee wist, had zich vaderlijk opgesteld en Toms consumptie ingeperkt, hij had het tempo aangegeven en hem begeleid naar een roes waarin hij de tien kilometer naar huis moeiteloos af kon leggen, hoewel hij zich de reis nadien nooit meer te binnen had kunnen brengen. Hij was ontwaakt in zijn eigen bed, met zijn sokken nog aan, maar verder correct ontkleed. En de uitbrander die hij kreeg bij het ontbijt werd wonderlijk genoeg niet door een kater bezoedeld; nog zo'n gevaar dat met de leeftijd kwam, verwijten die zich door een misselijke hoofdpijn boorden, daar had je geen last van als je nog kind was.

Toms wagentje was dichtgeslibd met een mistroostige berg toiletartikelen en schoonmaakdoekjes, ingevroren garnalen, kippenpoten, pizza's en een brood. De helft moest er weer uit, het was te veel voor één persoon. Eén persoon, meer kon hij voorlopig niet zijn.

Verrassend genoeg stond de legendarische Brian bij de klantenservice te wachten toen Tom aan kwam sjokken met zijn nodeloos zware boodschappentassen. Linda had woord gehouden, God zegene Linda. Maar er waren niet meer dan vijf dozen, en allemaal plat.

'Maar ze zijn nog goed te gebruiken. U moet ze weer uitvouwen en met een beetje tape...'

Tom stond bitter te knikken: 'Plat nemen ze minder ruimte in.'

Brian leek te willen demonstreren wat een handige verpakking voor alles wat je nog restte op de wereld er van een zo schamele stapel karton te maken was. Tom voelde hoe zijn tassen hem omlaag trokken, hem bogen, alsof er jaren vervlogen terwijl hij daar stond. 'Nee.'

Brian sprong weg bij de toekomstige dozen en zei niets meer.

'Nee. Ik begrijp het. Ik krijg wat ik verdien, maakt niet uit.' Wat Tom echt wilde was nog een pijnstiller, maar het zou gênant zijn om er nu een te nemen. In de auto – zo lang kon hij het nog wel uithouden. 'Ik breng eerst mijn tassen naar de auto en dan kom ik terug. Of ik kan ook een wagentje nemen.'

Wellicht omdat hij Tom liever niet zag terugkomen, of omdat hij bang was dat hij er stiekem met het wagentje vandoor zou gaan, bood Brian aan om de dozen naar Toms auto te dragen.

'Ben jij een man die van een slokje houdt, Brian?'

Dat was een stomme vraag: Brian maakte de indruk dat hij twaalf was en werd geteisterd door een soort verderf: een stevige borrel zou hem invalide maken – meer nog dan hij nu al was. 'Hm? Een man die van een slokje houdt?' Niettemin probeerde Tom de jongen op zijn gemak te stellen, een beetje met hem te dollen, het maakte absoluut niet uit waar ze het over zouden hebben.

Brian leek nog steeds volkomen in beslag genomen door de eenvoudige vraag – *Een man die van een slokje houdt?* – en Tom vroeg zich af of hij niet beter 'iemand', 'kind' of 'dwerg' had kunnen zeggen – of hij had moeten specificeren wat hij onder een slokje verstond – of hij met het woord op alle soorten drank had gedoeld of het had willen beperken tot de alcoholische variant. Misschien nam Brian zijn vocht tot zich op een minder voor de hand liggende, minder orale manier. Tom achtte het niet uitgesloten.

Toen borrelde er een antwoord op: 'Nee, nee, eh, niet echt. Ik drink niet. Veel.'

'Niet echt? Mooi zo. Want er komt alleen maar ellende van.' Daar klopte natuurlijk niets van, maar waarschijnlijk was dit de geëigende aanpak voor iemand als Brian: een amechtige, imbeciele dwerg. Godallemachtig, hoe zou het zijn als dát zich ooit klem zou zuipen?

'Dat is hem – mijn auto.' Bij dit licht viel de deuk in de passagiersdeur nog meer op dan gebruikelijk. Brian leek gebiologeerd door de ernst ervan. 'Fantastisch, Brian.' Tom keek hem stralend aan, nogal vaderlijk, dacht hij, maar Brian nam hem op alsof hij minstens veroordeeld moest zijn voor doorrijden na een ongeval. 'Je bent zo behulpzaam geweest. Laat me je een fooi geven.' Brian deinsde terug alsof de pond die Tom hem toestak op de een of andere manier giftig was. 'Ook goed. Het beste.'

Maar uiteraard schoot er toch nog een pafferige, klamme hand uit om het muntstuk weg te grissen voor Tom het terug in zijn zak kon steken. Sommige mensen hadden geen principes. Brian blies de aftocht zonder achterom te kijken. Hij liep, als je goed naar hem keek, alsof zijn ene been korter was dan het andere, of één voet dunner dan de andere, Tom kon niet beslissen wat het was.

Tom deed de kofferbak open en bleef staan, heen en weer geslingerd tussen verschillende laadstrategieën. Hij kon eerst de platgemaakte dozen erin stoppen met de boodschappentassen erbovenop, wat geometrisch waarschijnlijk het meest logisch was en impliceerde dat hij thuis zou komen, de boodschappen uit zou laden, een ingewikkeld maar niet onoplosbaar gesprek met Kate zou hebben en uiteindelijk niet meer naar buiten zou hoeven om de dozen op te halen, maar ze kon laten vermolmen. Of hij kon eerst de boodschappen inladen en dan pas de dozen, wat een minder stabiele oplossing was en suggereerde dat hij aan zou komen, zijn spullen in zou pakken, misschien in een gruwelijk verlaten huis, en dan zou vertrekken naar de flat van Tony, rijdend in de richting van een scherpe, onbekende horizon van het soort dat in iedere intelligente man de gedachte zou wekken aan een naderend lemmet.

Hij tilde de draagtassen op – waarom werden ze zo genoemd? Welke tas diende niet om te dragen? Het was een volkomen overbodig bijwoord, nee, bijvoeglijk naamwoord, iets in die richting. En toen raakte zijn denken verstopt, verward, en zijn armen begonnen te beven en hij barstte in snikken uit, verblind door tranen.

Dit kon niet, dit kon echt niet. Een man die huilend in zijn auto stapt. En niemand die zich er iets van aantrok. Het was al te treurig.

Hij herinnerde zich hoe Mr. Barker die avond zijn glas had genomen om het bij te vullen. Heel even had zijn hand zich om de pols van Tom gesloten, en terwijl hij de geur van whisky vol in zijn gezicht blies, had hij gemompeld: 'Weet je wat het met ons is? Met mensen als wij? Wij zijn net als de paarden. Jazeker. We zijn gevoelig voor aanraking. Als je tegen ons aan staat, zelfs als je ons slaat, leunen we naar voren om nog meer te voelen. Wij worden graag aangeraakt. We zijn onszelf niet als we het zonder moeten stellen.' Tom had niet echt begrepen wat Barker bedoelde, maar sindsdien had hij bijgeleerd. En het was waar, hij was gevoelig voor aanraking. Hij was zichzelf niet als hij het zonder moest stellen.

Hij pakte de dozen op en gooide ze naar binnen – alles was vlekkerig en pijnlijk als hij knipperde – deed de kofferbak dicht, liep op de tast naar het portier en liet zich achter het stuur glijden.

Handschoenenvakje.

Nee.

Onder de passagiersstoel dan.

Nee.

Verdomme. Hij kon het niet kwijt zijn. Het kon niet zijn weggelopen.

In dat stomme zijvak in zijn portier – dat was het, dat was het.

Ja. Goddank, ja.

Een kwartflesje Gordon's, nog halfvol. Anders gezegd: een achtste fles.

Dwaas.

Wat een dwaze gedachte.

Nog terwijl hij de dop losschroefde voelde Tom zich rustiger worden en toen, na een bescheiden nipje, na dat eerste opkikkertje, begon hij weer als een mens te ademen. Als hij hier nou eerder aan gedacht had, dan had de dag hem beter gepast. Maar niet getreurd, zo was het goed.

Hij voelde, voelde zich, ja, hij voelde zich thuis – zijn echte huis, als hij nog niet aangekomen was, dan was hij op weg. Maar van gin kon je neerslachtig worden als je geen voorzorgsmaatregelen nam, dus nam hij nog een halve pijnstiller, om de moed erin te houden – cafeïne en codeïne – heerlijk.

Tom had het tot nu toe niet opgemerkt, maar langs de hele straat stonden kastanjes: de zware, gelobde bladeren rustig wiegend, en één en al groen, bulkend van het groen. En ergens zaten vogels die korte, opgewekte liedjes kwinkeleerden die niemand kon horen zonder er vrolijk van te worden. Het was echt een prachtige dag; hij had te veel haast gehad om het op te merken. Maar goed dat hij even pauze had genomen, dat hij zijn houding had aangepast, zulke dingen zorgden ervoor dat je jong bleef in allerlei opzichten die er echt toe deden.

Hij nam nog een bescheiden teugje uit de fles voor hij hem weer wegstopte, droogde zijn gezicht en startte de motor: hij sloeg in één keer aan, vol pit. Dat was een goed teken en het hield in – het kon niet anders dan betekenen, omdat alle dingen in het universum met elkaar samenhingen – dat er een mogelijkheid was, een reële kans, dat hij straks naar Kate zou gaan, vastbesloten en heel wel in staat om haar om te praten. Die mogelijkheid drong zich sterk op. Hij zou zich natuurlijk verontschuldigen, en omdat ze van hem hield – omdat ze dat zelf gezegd had – zou hij haar ervan overtuigen dat hun relatie op nuttige en constructieve manieren kon veranderen en – dit was het belangrijkste – stand kon houden en kon worden geréd. Waarom zouden ze het nu opgeven?

God, wat was het een prachtige middag.

Zonde om hem te verknoeien.

Wat hij moest doen was naar de Captain's Rest gaan: misschien was Tony er ook al, of iemand anders, het maakte niet uit ook, Tom kon met iedereen een praatje aanknopen, hij was makkelijk in de omgang, altijd al geweest – de beste vrienden met jan en alleman. Hij kon even binnenwippen, voor een glas whisky, om zijn gedachten te ordenen, zich voor te bereiden en dan ervandoor gaan. Hij kon er een nemen op de oude Barker: op mannen met een paardenhart. Natuurlijk, dat God hen mocht behoeden.

En dan zou hij naar huis gaan naar zijn vriendin – Kate was nog altijd zijn vriendin, zulke dingen veranderden niet, niet fundamenteel – en hij zou haar vertellen dat het hem speet en dat het goed zou komen tussen hen en zij zou hem geloven, omdat hij één en al eerlijkheid was deze middag, het schrijnde door zijn hele lichaam als een aangename kneuzing.

Tegen het eind van de middag, of vroeg op de avond – dat was nog beter, als hij behaaglijk was en door en door verwarmd – zulke processen kostten nu eenmaal tijd – zou hij haar opzoeken. Reken maar. Er zou een moment komen vandaag en hij zou het bereiken en hij zou het aangrijpen en begrijpen dat hij klaar was om haar te zien, hij zou er helemaal klaar voor zijn.

ONUITWISBARE DADEN

Het was niet moeilijk.

'Dat is fijn. Heel fijn.'

Iedereen had het kunnen doen – werkelijk iedereen.

'Precies zoals ik je graag zie. Prachtig.'

Hij had de gebruikelijke frictie uitgeoefend, met de topjes van zijn wijs- en middelvinger. 'Mm. Nu de rechterkant', in kringetjes wrijven en morrelen, volhardend tegen de stof, tot beide tepels zich onder zijn aandacht oprichtten, uitstaken en hunkerden. Zoals ze dat gewoon waren.

'Goed zo.' Zijn lippen ontspanden zich, vochtig, terwijl zijn interesse zich schuilhield achter het zwijgzame zwart van zijn brillenglazen. 'Heel goed.' Toen pauzeerde Laurie, glimlachend, tevreden, blij dat mijn behoeften zich symmetrisch aftekenden. 'Mooi.'

Maar iedereen met handen had het kunnen doen. Niet eens per se handen: één hand had kunnen volstaan, of een redelijk geslaagde prothese, zelfs een op de juiste plaats gedeponeerd huisdier. Laurie verrichtte geen wonderen – hij wekte de doden niet tot leven – hij prikkelde slechts enkele plekjes extreem erectiel vlees. Streel of beroer ze, adem erop of kus ze, en het worden harde knopjes die zich verheffen. Hoe meer je ze probeert te vinden, hoe meer ervan te vinden is, binnen hun eigen grenzen – zo werken ze, ze neigen van nature voorwaarts. Er is niets wat ik kan doen om ze te veranderen, en hij evenmin – niet fundamenteel. Een eenvoudig koutje kan ze al prikkelen, of een zekere maandelijkse gevoeligheid, en dan word ik tot precies dezelfde natte intenties gebracht als hij nu bij me heeft opgewekt.

Naast ons op straat sukkelde het verkeer hoestend langs, voetgangers passeerden, onder hen een hoger dan gemiddeld aantal priesters – of mannen in soutanes, ik kan niet zeggen dat ik er verstand van heb – en ik wilde Laurie eenvoudig op zijn rug dwingen en op een of andere manier vastpinnen, hem bij zijn middel openklieven en hem pijpen tot zijn ballen zo klein als rozijnen waren, tot hij het zou uitschreeuwen.

Omdat zulke impulsen onweerstaanbaar instinctief zijn, is er niets tegen te beginnen. Als ik zo hitsig ben dat niets me nog kan schelen, het maakt niet uit door wat of wie, reageer ik volkomen voorspelbaar. Net als de luipaard met de zebra, net als de kreeft in de pot, ben ik deel van de gebruikelijke optelsom van de natuur. Ik probeer me dit vaak in te prenten om perspectief te vinden, een onafhankelijk, afstandelijk gezichtspunt.

Vier nonnen trippelden voorbij, geruisloos, hun gezichten een beetje onwerkelijk, verbaasd om in kappen gevangen te zitten. Mijn adem blafte tegen mijn borstbeen, rauw van verlangen, maar maatschappelijke conventie en zelfbeheersing behoedden me voor arrestatie. Ik zei niets, deed niets, ziedde alleen maar, zoals te verwachten was, misselijk van lust.

Laurie grijnsde, wetend en onaangedaan. 'Je bent er net zo dol op als ik, hè? Hm?'

'Maar niet nu.' De avenue blaakte in een aangename schittering: vreemde monumenten deinend onder een klassieke zon en het Colosseum donker achter Lauries schouder, een monstrueuze ring van verval.

'Waarom niet nu?'

'Omdat de mensen kijken, de mensen zullen het zien.'

'Dan had je die bloes niet aan moeten trekken – daarom

kijken ze, dus natuurlijk zien ze het. Vind je het niet prettig als mannen naar je tieten staren? Ik wel. Omdat zij je niet kunnen krijgen. Omdat je van mij bent.'

Omdat je van mij bent. Het is een standaardfrase, past in elke mond. Ik had hem een koekje van eigen deeg willen geven, míjn stem in zíjn borst laten tieren, de vertrouwde vonk van verwachting tussen maag en keel laten overspringen. Ik had hem dit graag duidelijk willen maken: *Omdat je van mij bent zal ik tussen geestelijken staan, verstijfd bij de gedachte aan jouw teruggetrokken voorhuid. Omdat je van mij bent zal ik, zonder afdoende waarschuwing, tegelijk woedend, betoverd, opgetogen, moorddadig en goedkoop zijn. Omdat je van mij bent zal ik naar je kijken zoals ik nu doe en me herinneren dat ik je tot op de huid kan uitkleden, tot op je vlees. Ik ken jou minstens net zo goed als jij mij kent.*

Omdat je van mij bent. Het is een standaardfrase, niet afhankelijk van de waarheid.

Nu beent hij, draaft hij bijna langs de muren, toont zijn belangstelling voor funderingen en zitplaatsen en visgraatmetselwerk, zoals het te zien is bij de trappen. Hij heeft een enthousiasme voor constructies dat ik niet kan delen. Maar dat is geen probleem – ik kan hier blijven zitten en mijn brief schrijven terwijl hij rondzwalkt. En ik kan kijken hoe hij zich door de trillende hitte beweegt, hoe de hechtheid van zijn schaduw zich ordentelijk aan zijn voeten vlijt. Hij zou echt een hoed moeten dragen; als het zo doorgaat is hij vanavond verbrand. Laurie kan bijzonder lichtzinnig zijn als het om dat type blootstelling gaat.

Ik ben daar voorzichtiger in, omdat ik een goede huid heb. De meeste vrouwen van mijn leeftijd of jonger hebben dunne lijnen en zichtbare rimpels, maar ik niet. Mijn huid is elastisch en ongerept. Soms betrap ik mezelf voor de spiegel

als ik alleen ben en dan zie ik het – mijn prachtige buitenkant
– met de geest van zijn handen nog aanwezig van de middagen en avonden waarop hij hem heeft onderzocht en de
flexibiliteit op de proef heeft gesteld. Ik geef hem het beste
wat ik in me heb en hij stelt het op prijs, hij neemt de tijd om
me dat te vertellen.

Ook verleen ik hem mijn medewerking, mijn toestemming, geef hem mijn lange weekend, we pakken onze koffers en brengen het door in een hotelkamer met gordijnen en
spiegels, in de vochtige, kerkelijke hitte van Rome. Sinds we
gisteravond geland zijn, hebben we zonder dispensatie ieder
uur gezondigd, misschien omdat het hier niemand iets aan-
gaat. Ik zou bijvoorbeeld nu naar hem toe kunnen gaan, zijn
hand in de mijne nemen, de blauw kloppende aderen van
zijn pols strelen en onze handpalmen verstrengelen met een
onmiskenbaar vertrouwde, terloopse, wederzijdse tederheid,
die iedere kwaadwillende toeschouwer tegen ons zou kunnen gebruiken. Maar dit is een veilige stad, we hebben de
Greenwichtijd achter ons gelaten en zijn opgegaan in de
anonimiteit.

Het maakt Laurie gelukkig, dat kan ik merken. Zijn schouders hebben een lichtheid die ik normaal alleen 's nachts
krijg te zien. In het donker ontvouwt hij zich, ontspant zich,
neemt me mee naar buiten, over trottoirs waarop we overdag
nooit onbekommerd samen kunnen lopen. Of hij gaat een
stukje rijden, en ik besluit met hem mee te komen, om te
zijn waar hij me naartoe brengt.

'Hier?'

'Waarom niet?' Die keer waren we in een veld – frisse lucht
in overvloed, gezond. 'Het is stil hier, niemand in de buurt.'
Toch schoten zijn ogen onderzoekend langs de ramen. Hoewel hij graag toekijkt, wil Laurie nooit bekeken worden. Hij is
bang in een hoek gedreven te worden, om te worden ge-

dwongen tot handelingen die hij niet wil verrichten. 'We willen niet gestoord worden toch?'

Ik zag het blauwachtige groen van schapenogen oplichten, rechts van ons in de verte. 'Het regent.'

'Dan zul je nat worden.'

Hij trok de handrem aan en zette de motor af, en we zaten in zijn auto in het overwolkte duister van het veld. Geen sterren. Op andere avonden had hij het bos kunnen kiezen of de ondergrondse kantoorgarage. Ik trok mijn regenjas uit maar hield mijn schoenen aan. Hoge hakken – onhandig op de tarwestoppels.

'O ja. Precies wat we nodig hebben. Maar laat het me zien. Laat het me echt zien.'

Omdat ik het wilde doen, omdat ik de behoefte voelde, omdat ik erop gewacht had, omdat het een keuze is die ik zelf kan maken, stapte ik uit en liep over de geschoren rijen om hem mijn huid te tonen. Mijn heldere schittering flakkerde in het licht van de koplampen, glanzend in de motregen, en ik bewoog en doofde onder hem.

'Je bent een heel ondeugend viespeukje.'

Veilig tussen hem en zijn auto ingeklemd voelde ik zijn handschoenen op mijn ruggengraat, de dunne kilte van een rits, de tong en groef van onze wederzijdse belangstelling, van het samen onszelf zijn, ons wijkend ineenpassen. Ik hield mijn hoofd afgewend en kon de regenblazen op de motorkap zien beven en uiteenspatten: een flauw schijnsel, ter hoogte van mijn oog.

Hij had om het even wie kunnen zijn, 'Doe je achterste omhoog', maar het was Laurie die me, met een soepele ontkenning van alle andere mogelijkheden, stevig onder handen nam.

Ik was blij met hem, met zijn bedekking, zijn stoffen hitte. Mijn moeder had me vaak gewaarschuwd voor de avondlucht en stormachtig weer en dat ik me niet zonder jas moest laten overvallen. Reden te meer om me door Laurie te laten overvallen en – in zekere zin – zijn jas te lenen.

'Brave meid.'

De verwachting sijpelde weg in de zinkput van de aarde, de vage geur van dierlijke mest en natte wol. Hij dwong mijn adem tot horten en stoten en kwam klaar, zoals altijd zonder geluid, in een ruwe uitbarsting van beweging en dan roerloos, om daarna terug te trekken. Hij heeft zichzelf aangeleerd om uiterst discreet te zijn.

En dus heb ik geleerd om zijn lichaam en zijn kleding te lezen. Deze middag kan ik zien dat hij tevreden is, op z'n gemak: hij haalt niet steeds een hand door zijn haar en trekt niet aan zijn oren, en er zit iets vloeiends in zijn tred, een musculair genoegen, een lichte, hongerige veerkracht.

Hij heeft gemakkelijke kleding aangetrokken, maar niet onaantrekkelijk. Ik heb hem gezien, warm en pas ontwaakt, een uur of zeven geleden, terwijl hij de juiste dingen uitzocht, heen en weer slenterend tussen de kleerkast en het bed, naakt op een manier die pijn deed aan mijn tandvlees, en waarvan mijn handpalmen begonnen te trekken. Ik ben erop ontworpen om dergelijke gevoelens te ervaren, ze lopen als bedrading door mijn lichaam. Ik denk na over soorten isolatie, over stroomonderbreking, maar hij zet iedere keer de schakelaar om en lijkt te bewijzen dat ik er geen eind aan kan maken, dat al het andere onvoldoende zou zijn.

Zo heeft hij zich er vandaag op gekleed om te laten zien dat hij gelukkig is en om mijn schedel onder stroom te zetten: witte boxershort (die ik voor hem gekocht heb) en zijn oudste spijkerbroek, want we weten allebei dat die hem goed staat en de indruk geeft dat hij goed bedeeld is. Voeg daar nog aan toe het eenvoudige zwarte T-shirt als contrast voor het linnen jasje dat hij aan zijn duim over zijn schouder laat bengelen, en de Ray-Ban om ervoor te zorgen dat hij zijn ogen niet hoeft dicht te knijpen, en daar is hij, mijn Laurie, alles erop en eraan.

Thuis laat hij kleren bij me achter: accessoires, prullaria: kleine herinneringen aan zijn geur en gestalte. Leer is het sprekendst; zijn riemen krullen waar ze de ronding van zijn rug hebben gevolgd, scheurtjes verraden de omvang van zijn middel, zijn schoenen en handschoenen voegen zich naar zijn bewegingen en naar zijn zweet. En ik doe natuurlijk hetzelfde. In zijn afwezigheid zingt het patroon van zijn voorbije behoeften door me heen. Hij is in de groeven van mijn vingers geolied, zoals het met elke gewoonte gebeurt. Het is niet verrassend om te merken dat de herinnering aan hem me 's nachts uit de slaap houdt.

Ik heb nog geen poging gedaan om te slapen in Rome, tot nu toe niet. Het leek onnodig. Soms word ik door vermoeidheid overvallen, die de werkelijkheid wankel maakt, maar ik geef niet toe. Ik zal meer dan wakker blijven, omdat Laurie hier helemaal bij me is: gebogen over de balustrade, lekker strak en beweeglijk. mijn encyclopedie. Voor we vertrekken, voor het voorbij zal zijn, zal ik zijn armen vanbuiten kennen, van zijn kortgeknipte vingernagels tot aan de steeds blekere tederheid van zijn gewrichten, de zachte verheffing van zijn haar. In het constante gezelschap van het lichaam dat je hebt leren missen, kost het niemand moeite om een luttele vier dagen en drie nachten geconcentreerd en alert te blijven. Ik ben altijd begerig naar wat ik weet te zullen missen.

Natuurlijk wekken rantsoenering en verwachting bij ons allebei de zinnen op.

'Zeg maar waar je het hebben wilt.'

Het opgehoopte ongemak van te lang uitgestelde begeerte.

'Anders doe ik waar ik zin in heb.'

In Rome beweeg ik me van de prikkel van zijn verbeelding

naar zijn alledaagse kuchjes en fluisteringen, zijn kleine zuchtjes als hij leest en de manier waarop hij zijn haar droogt. En al deze dingen zijn precies zo verslavend als ik me had voorgesteld, net zo moeilijk om bij weg te lopen, of om te bevechten.

'Dan laat ik het neerkomen waar ik wil. En je weet waar dat is...'

Ik ben beter gewend aan de korte nachten waarin we proberen indruk te maken. Dat was toen ik op zoek was naar iets wat me zou bijblijven als hij niet bij me bleef, naar sporen, naar brandmerken in de herinnering, onuitwisbare daden. Vroeger wilde ik graag dingen uitproberen, proefondervindelijk: gehurkt, staand of voorovergebogen, of liggend in mijn bad.

'Dáár wil ik het hebben. Daar. En daar.'

'Laurie...' Die niet onaangename geur, een beetje bitter, grasachtig, warm. 'Laurie, kun je...'

'Wat?'

'Het is niet... erotisch.'

Hij stond met zijn gulp open, de benen gespreid. '*Ik pis op je.* Hoe kan dat niet erotisch zijn?' Hij streek met zijn vrije hand door zijn haar.

'Het is vooral warm, eerder ontspannend dan iets anders. Het spijt me.'

'Het is niet erotisch.' Zijn straal werd zwakker, sputterde en hield op. 'Helemaal niet?'

'Het spijt me.'

Hij zat op de rand van het bad met zijn rug naar me toe gekeerd en zette zijn handen op zijn knieën om van me weg te buigen. 'Nee, je hoeft je niet te excuseren.'

'Het was goed om het eens te proberen.'

'Ja.' Hij keek op zijn horloge. 'Ik heb niet echt tijd voor nog iets anders.'

Ik haat dat horloge van Laurie. Onvatbaar voor allerlei hoogst onnatuurlijke schokken en bestand tegen hoge druk en water op schrikwekkende diepten, zal het ons beslist overleven. Het tikt de uren van ons samenzijn weg, genadeloos, het is zijn geweten en mijn limiet en ik wou dat hij het op de kamer had laten liggen. Ik wil er niet aan herinnerd worden wanneer we moeten ophouden. Ik wil nog niet verdrietig zijn en hem moeten vertellen waarom.

Ik wil blijven verzamelen en zijn inventaris volledig opmaken zonder te worden afgeleid. Als ik terug naar huis ga, zal mijn herinnering van hem doordrenkt zijn, mijn bloed zal naar hem ruiken, ik zal denken met zijn stem en ik zal in staat zijn om alleen te zijn, of met andere mensen, en om alles wat ik van hem nodig heb comfortabel in gedachten te houden.

Wel hoop ik dat uiteindelijk dit mag gebeuren: dat Laurie iedereen zou kunnen zijn, de volgende, een ander.

Hij buigt zich voorover. Dat moet hij niet doen, zo stelt hij de huid tussen zijn haar en zijn boord aan de zon bloot. Daar is hij bijzonder delicaat, heerlijk om te kussen, en dat is niet wat hij dóét: iets wat herhaald of vervangen kan worden, wat gemakkelijk terug te vinden is. Het is wat hij ís. Het is de onnavolgbare, onvervangbare, onvergeeflijke man die ik jarenlang heb moeten missen, aan wie ik me vastklamp, verdoofd tussen de afleveringen van wat zijn huiselijke omstandigheden voor mij overlaten. Dit is het beste wat hij me geven kan: het is wat had moeten voorkomen dat we belachelijk werden.

Dit had ons moeten weerhouden van de avonden vol ijsblokjes en scheermesjes en fruit en alle andere variaties op ons thema – een beetje bijtende tandpasta, een beetje glijmiddel, een steeds sterkere breidel.

'Vieze meid.'

'Nee, jij bent de viezerik. Vieze oude man.'

Hij grijnsde slechts terwijl hij me losmaakte, om me te laten zien dat hij niet beledigd was. 'Nee, jíj bent een stuk onfatsoen en je gaat het bewijzen ook. Ga dat ding halen – ik wil het zien. Laat maar eens zien wat een verdorven wicht je bent – spelen met jezelf als ik er niet bij ben...'

'Ik heb hem van mijn collega's gekregen.'

'Maar je gebruikt hem wel.'

'Ja, dat klopt.'

Ik haalde het voor hem, nog in de doos, zodat hij het kon onthullen.

'Jezus.'

Mijn instrument was langer, dikker – onmiskenbaar groter dan het zijne.

Waar hij geen belang aan had hoeven te hechten. Zeker een paar centimeter diende puur voor het houvast, niet echt noodzakelijk, geen maatstaf voor de begeerte.

Hij draaide ermee in zijn handen, als een gecondenseerd overspel.

'Jezus.'

Maar ik denk dat hij geen moment heeft overwogen om het niet te gebruiken.

'Vooruit dan. Goed.' Het kille donker van zijn ogen weerspiegelde mijn huid. 'Jij wilt altijd dingen om aan terug te denken... Nou, goed dan.'

En ik herinner me inderdaad, helder en duidelijk, het moment waarop de pijn van zijn aanwezigheid de pijn van het naderende afscheid overtrof.

Laurie en ik, we praten niet over die nacht: dat is ons andere geheim. We verraden niets.

Maar steeds vaker merk ik dat ik opschrijf wat er gebeurd is, wat er gebeurt, in brieven die ik nooit op de bus doe – brieven aan een vrouw die ik niet ken. Hoewel we het een en

ander gemeen moeten hebben, dat veronderstel ik tenminste. We moeten beiden naar hem kijken als hij in de zon
loopt, en hem mooi vinden.

ERGENS ANDERS

Hier ben je dus terechtgekomen, je laatste toevluchtsoord.

Voor de zevenentachtigste keer werd in het stadje de jaarlijkse rodeo gehouden – dat wilde zeggen dat ze dit in James Bridge nu al zevenentachtig jaar deden. Om de een of andere reden maakte dat het nog erger.

'Een grote dag voor de familie Albert. De grootste dag van het jaar.' Francis Albert stootte haar aan. 'En plaatsen op de eerste rij.' Grijnzend naar zijn programma: 'Ze gaat winnen. Zeker weten.' Hij sprak rustig, zachtjes, Francis Albert, hij nam altijd de tijd, wat er ook gebeurde.

Hier ben je dus terechtgekomen. Gezeten op een tijdelijke tribune van houten banken onder deze lange, vlakke middag, terwijl de rand van de zitplaats achter haar ongemakkelijk in haar heup begon te drukken. *Van Stirling naar Glasgow naar Sligo en toen de grote sprong Montreal. En toen ben je hier beland, en nergens anders.*

De wind was onrustig en klauwde in het stof. Een nieuw vlagerig briesje joeg de hitte uit het zonlicht en voerde een dunne sliert jarenzeventigrock mee – afkomstig van de jarenzeventigluidsprekers – en schudde ermee tot de zin eruit verloren ging.

In de ring schreeuwde een van de vele Alberts tegen zichzelf terwijl ze haar paard wendde, krap tussen de vaten door, een imaginair klaverblad aftekende in het zand, omhoogleunde en haar paard de sporen gaf, één arm naar opzij gestrekt. Ook Francis Albert verhief zijn stem; bedachtzaam, om haar aan te moedigen: *'Carla. Ja. Die meid ook',* zijn houding zo onbewogen dat hij net zo goed mompelend iemand de kortste weg naar Round Lake had kunnen wijzen.

Uiteindelijk bleek Carla niet de snelste tijd te hebben neergezet, bij lange na niet. 'Wie had dat kunnen denken.' Francis Albert sloeg zijn programma dicht – zes gekopieerde velletjes machineschrift met vlekkerige advertenties – en kneep er een vrolijk verwijtende vouw in.

'Het spijt me.'

'Het zit weer eens niet mee, hè.' Hij knikte naar iemand die ze niet kon zien, 'Zie je wat een pech ik heb?' en grinnikte naar een punt ergens achter haar hoofd, zijn zinnen volkomen ontspannen, zijn stemming opgewekt en onverstoord, niets wat zelfs maar in de verte op tegenslag wees. 'Steeds weer een nieuwe ramp, begrijp je?' Hij begon er plezier in te krijgen om te spelen met de leugen van zijn vreselijke leven – die hij zo onwaarschijnlijk maakte dat het geen onwaarheid mocht heten. 'Hè, Juney?' Hij wilde dat ze meespeelde.

Maar June had geen zin. 'Ik weet het niet.' Ze hield haar gezicht in de plooi, bijna neutraal.

'Steeds weer hetzelfde liedje...' Het zei het heel losjes, een laatste poging terwijl ze opstond en hoestte.

'Nee.' Ze bestudeerde het dunne laagje grijs dat zich op haar handen had afgezet; als je even je gemak ervan nam in deze wind kwam je onder het stof te zitten: hier had je nooit alleen maar frisse lucht, zoiets eenvoudigs bestond hier niet. 'Nee, het zal vast niet.' Opnieuw hoestte ze en proefde de smaak van steengruis en een zweem van dierlijke mest.

'Je gaat ervandoor?'

'Ik denk het wel.'

Toen ze begon te lopen dook ze een beetje in elkaar, een concessie aan degenen wier uitzicht ze belemmerde, en Francis Albert zei: 'Tot ziens dan maar weer', op dezelfde zachte toon als waarop ze hem die vrijdag had horen praten –

Ik kan me niet voorstellen dat iemand háár ooit een beurt geeft.
De twee mannen in zijn gezelschap zaten met hun rug naar
haar toe – iedereen zat met zijn rug naar haar toe – en
hadden allebei een klein vochtig lachje uitgestoten – *Die
Juney Morris? Ik kan me niet voorstellen dat iemand háár ooit
een beurt geeft* – en toen hadden ze verder gepraat over andere
vrouwen, en zij had zich afgewend en was terug de hoek om
gegaan, was op haar schreden terug naar huis gekeerd en
had daar ademloos gezeten.

Toch had Francis Albert het niet kwaad met haar voorge-
had. Hij had slechts vastgesteld wat voor hem een feit was,
zonder te kunnen weten dat ze in de buurt was. Het lag niet
aan hem dat zij zo'n lelijk exemplaar was, of dat ze zich
kwaad en onhandig en naakt voelde als ze samen waren.

En vorig jaar was het niet zo geweest, niet in de lente van
afgelopen jaar. Vier uur rijden hiervandaan, in precies zo'n
stom gehucht: toen ze was komen aanrijden met de man die
haar had meegenomen, die haar het huis van de familie
wilde laten zien, die het voor haar wilde openstellen – om
samen een nieuw begin te maken op een oude plek.

Ze was uitgestapt met zijn aanraking nog op haar huid,
zijn lichaam, van toen ze gestopt waren omdat hij moest
neuken – zoals hij eerder in het motel had gemoeten, hij
moest. De hitte in haar binnenste had de hoofdstraat doen
schitteren, had haar tred soepel en gelijkmatig gemaakt. Ze
had hem geholpen zich jong te voelen – dat had hij haar
verteld.

Nu werd ze soms wakker met de prop van zijn tong in haar
mond, zijn hoofd in haar handen met een tederheid die ze
nooit echt gedeeld hadden. Hij was geen herinnering, eerder
een grap. Een oude man die dik begon te worden, die bang
werd van het verschil tussen hun huid.

Hij ging terug naar zijn vrouw. June kreeg de kans niet om

hem te vertellen dat hij een compromis was geweest: haar poging zich tevreden te stellen met een beetje troost, met minder dan tweede keuze.

Stirling, Glasgow, Sligo. Steeds naar het westen. Helemaal naar James Bridge.

Nog verder en ze zou op de Pacific zitten, dan in Rusland of China: om aan te spoelen waar ze vandaan kwam, een thuis dat haar nog steeds niet paste.

De ruimte die ze had vrijgemaakt op de bank vernauwde toen de mensen gingen verzitten en het zich makkelijk maakten, en de scheidslijn tussen blanken en indianen sloot zich. Er was niets officieels aan, gewoon de vertrouwde grens die zich altijd vormde als het stadje en het reservaat elkaar ontmoetten. Niemand deed het uit onbeleefdheid: de groepen bleven nu eenmaal altijd gescheiden, schijnbaar op goede voet met elkaar maar duidelijk afgebakend. En zonder dat het haar bedoeling was, kwam zij onvermijdelijk aan een rand terecht, een plaats waar de onverenigbare zijden elkaar raakten in de menigte. Na tien maanden in James Bridge was ze er nog steeds niet zeker van of ze dit zelf onbewust zo geregeld had, of dat beide gemeenschappen haar in die richting hadden geduwd, in de wetenschap dat ze van geen van beide deel uitmaakte.

Een kind keek haar na vanaf de helling bij de kralen, de mollige schenen van een dreumes en de naakte voetjes stevig onder een volwassen T-shirt geplant, alles bedekt met het onvermijdelijke asbruine spooklaagje. Zijn enige andere kleuren waren het blauw van zijn ogen en het bijna zwarte randje vuil om zijn lippen, waaraan je kon zien waar hij ze gelikt had. Ze probeerde te glimlachen, maar hij keek weg.

Toen naderde van links het droge klossen van laarshakken en ze hoorde: 'Hé, Juney, amuseer je je een beetje?' Er klonk voldoende twijfel in de vraag door om haar te ergeren.

'Ja, ik amuseer me uitstekend. Dank je.' Aan haar antwoord was duidelijk te horen dat dit uiterst onwaarschijnlijk was. 'En hoe zit het met jou, Freddie?'

Niet dat ze het niet kon raden. Natuurlijk amuseerde hij zich, waarschijnlijk zelfs kostelijk, daaraan hoefde ze nooit te twijfelen: het was immers Freddie Williamson, de zoon van Freddie Williamson, zelf ook weer een zoon in een lijn van God mocht weten hoeveel hopeloos kleurloze Freddie Williamsons. Waarschijnlijk bracht de hele clan de winteravonden gezamenlijk door met het opdreunen van hun geslachtslijst uit de familiebijbel, als een treurige litanie van gestamelde doopnamen. De jaarlijkse rodeo met zijn paardensport en in bier gedrenkte attracties moest voor elk rechtgeaard lid van de clan een uitzinnig vertier betekenen.

Freddie knikte haar scherp toe en liet merken waar zijn aandacht naar uitging: hoe hij haar kleding aftastte, haar kapsel, ieder teken dat haar buiten dit leven plaatste en vatbaar maakte voor kritiek. 'Het lassoën is begonnen...' Hij knipoogde en trok kort met zijn hoofd in de richting van de arena, waar een man met licht haar neerknielde en een touw om de poten van een kalf sloeg, alsof hij een klein bosje koe samenbond. Een andere man, ook met licht haar, keek toe vanaf de rug van een paard terwijl de doordringende stem van de ceremoniemeester een monotoon verhaal afstak.

'En de broertjes MacDonald amuseren zich helemaal kostelijk.'

Het kalf, afdoende gekneveld met de juiste knoop, rukte en schokte, loeiend in het zand, maar kon zich niet bevrijden.

'Vooruit, mensen, geef ze een groot applaus.'

Ergens hoog op de banken joelde iemand en er klonk verspreid applaus. Freddie wendde zich weer tot haar, ernstig, om haar verdediging te testen. 'Ze hebben een paar punten verspeeld toen ze haar vingen...' Ze wachtte op iets van een clou. 'Maar dat zul je vast wel gemerkt hebben, Juney, je weet immers hoe we de score bijhouden.' Hij hield zijn blik op haar gevestigd tot ze hem beantwoordde, tot ze zijn nadrukkelijke gebrek aan respect onder ogen zag, de insinuatie van iets anders, de hetere intrige in zijn gedachte.

'Eerlijk gezegd, Freddie, zou ik het op prijs stellen als je me June noemde. Ik heet June.' Maar de meeste namen veranderden hier: Freddie, Juney, Marcy, Fancy: alsof de namen van de minder succesvolle dwergen van Sneeuwwitje werden afgeroepen. Het had ontwapenend kunnen zijn, maar dat was het niet, ook al moest ze tussen deze mensen leven en moest ze blij zijn dat ze haar naam lieten klinken als een echte buurvrouw van Jimmy en Billy en Sandie en Lizzie May.

Freddie onderwierp haar opnieuw aan zijn blik, liet hem te lang over haar lichaam dwalen. 'Maar goed, ik moet terug naar mijn vrouw', en hij vuurde zijn afscheidsglimlach af – *ik ben een werkende man wat de beste soort man is die er bestaat en ik werk hard en ik verdien alles wat ik heb en wat ik heb is precies wat jij niet hebt: het recht om hier te zijn en me hier op mijn gemak te voelen en het recht om te neuken.*

De propperige brunette die op hem stond te wachten bij de hotdogkraam was niet echt zijn vrouw, hij noemde haar alleen maar zo, maar ze woonden samen op land van de Williamsons en bezochten samen de kerk en zetten met botte regelmaat nieuwe Williamsons op de wereld – June had eerder twee van hun tieners bij de koeienhokken zien rondscharrelen. Soms reed Freddie voor wat extra geld weer een tijdje vrachtwagen en hij vertelde nooit hoe hij zijn nachten elders doorbracht, maar hij liet graag doorschemeren dat ze meestal doorwaakt en in levendig gezelschap werden doorgebracht. Het was moeilijk uit te maken waar hij meer van genoot: zijn openbare bijna-overspel of de vernedering van zijn bijna-vrouw.

Dit was het eerste wat June over het stadje te weten was gekomen: Freddie Williamson wil dat bekend is dat hij van meerdere walletjes eet. Verschillende andere mannen en vrouwen waren niet officieel in de echt verbonden, en de oudste zoon van de Waldrons was verdronken en ze wilden een nieuw kind, en Mrs. Timms placht te stelen in de winkels en het gestolene per post te retourneren, en Wally Andrews was een plaag voor zijn vrouw, maar als hij half dronken was gaf ze hem hondenkost te eten en als hij volkomen lam en buiten westen was schopte ze hem tot bloedens toe: iedereen wist overal het fijne van. Het stadje bewaarde een precaire stilte door zichzelf voortdurend te chanteren.

Maar soms moeten er fouten gemaakt worden.

Die Juney Morris – ik kan me niet voorstellen dat iemand háár ooit een beurt geeft.

Die Juney Morris.

Iedereen die ze vandaag ontmoet had moest het inmiddels gehoord hebben en zou het opnieuw horen als hij aan haar dacht, met haar sprak, haar zag op straat. Het zou haar vaste begeleiding zijn, het permanente gefluister over haar ware aard.

Behalve dat ik niet Juney heet. En dat ze geen flauw idee van me hebben.

Wat niet had verhinderd dat ze haar in hun verhalen weefden, want dat was wat ze deden. Ze hutselden werkelijkheden door elkaar en sponnen ze weer uit, maar dan anders, om de tijd te verdrijven. Men had hier alles bijeen genomen te veel tijd, dus werden de eigenaardigheden en zonden van de mensen ter verstrooiing uitgebazuind; hun favoriete hymnen bijvoorbeeld, of een zwak voor perziken uit blik, een handigheid in het repareren van koelkasten, de vreemde koortsdromen die ze als kind gehad hadden. Ze was te terughoudend voor hen, dus verzonnen ze roddels om een aantal van haar vele gebreken mee in te vullen.

Ze wilden een reden hebben waarom ze alleen was. Dus zeiden ze dat ze een ongeluk had gehad, een ziekte, of dat ze haar eerste liefde had verloren, of een ware liefde. Ze wou dat ze gelijk hadden, maar ze wist dat ze geen excuus had.

'Wij zeggen dat het aan het weer ligt.'

'Wat?'

Het was Mrs. Parsons, Marjory Parsons – alsjeblieft, waarom noem je haar niet Margie? – Junes werkgeefster, maar ze zou liever haar vriendin zijn.

'Het weer.'

Margie had weer eens iets willen uitleggen, op de licht geaffecteerde toon die ze reserveerde voor lelijke kinderen, ouden van dagen en voor June. De hele ochtend had niemand een voet in de winkel gezet – er kwam vandaag geen trein, dus waren er geen toeristen en Mrs. Timms zou pas na het middageten langskomen. Dus had Margie, enorm en eigenaardig zacht, alsof ze geen botten had, haar geliefde didactische houding aangenomen, haar ogen half geloken en haar slappe armen gekruist – wat June op de zenuwen werkte, alsof ze bang was dat er deze keer meer ellebogen zouden blijken te zijn dan normaal, meer rondingen dan iemand met een gebeente pijnloos kon verdragen.

Er was een stilte gevallen, die Margie kennelijk verwachtingsvol bedoeld had.

Niet dat ik het je wil vragen en niet dat ik wil dat je antwoord geeft, of dat ik behoefte heb aan nog meer oude wijsheden over James Bridge, maar er zit hier zo veel tijd in iedere dag en die moeten we verdrijven – zoals je nierstenen uitdrijft, of pis...

June schraapte haar keel: 'Het weer?'

'De wind – je moet het gemerkt hebben, schatje.'

Ik ben je schatje niet, en van niemand anders.

Margie had met haar glanzende koeienogen geknipperd. 'Alleen in de zomer houdt het even op, als we hem nodig hebben om de insecten te verjagen. En de rest van de tijd pikt hij al onze woorden op, laat alles wat we elkaar zeggen dwarrelen en legt het weer neer waar het niet thuishoort. Maar het wordt goed ontvangen.' Ze glimlachte.

Dus het heeft niets te maken met die ziekelijke behoefte van jou en alle anderen om je neus in andermans zaken te steken. Goed om te horen, zeg: heel fijn dat we dat helder hebben.

Klakkend met haar tong had Margie in het borstzakje van haar werkhemd getast en een stoffig brok cellofaan tevoorschijn gehaald, dat zoals June wist, een of ander fruitsnoepje zou blijken te zijn, verwarmd tot lichaamstemperatuur.

'Nee, dank je.'

'Toe nou.' Het werd haar toegestoken op de palm van een hand die ruwweg de omvang van een uitpuilende paperback had. 'Een gezicht dat zo zuur staat kan best een beetje zoetigheid gebruiken.' Dit was niet onvriendelijk bedoeld, het was slechts een huiselijke aansporing, alsof Margie haar vroeg om de keukenvloer te dweilen of om buiten de hond tot stilte te manen. Onbeheerste gelaatsuitdrukkingen waren ongewenst in Margies winkel: niet verdrietig, niet ironisch, niet tot het uiterste getergd: alleen glimlachjes, goede, welgemeende glimlachjes, waren toegestaan. En het vreemde was dat June ze vaak liet komen. Margies moederlijke toon had haar moeten ergeren, en deed dat ook in de verte wel, maar er leek tegelijk een prettige verlamming over June neer te dalen. Als Margie haar vertelde wat ze doen moest, voelde ze zich aangenaam kinderlijk, lichter, ontvankelijk voor de hoop dat alle kwaad definitief verslagen kon worden door de onversaagde toepassing van levenswijsheden, clichés en eenvoudige gestes.

Die dag had ze het snoepje aangenomen. Zoals altijd.

June zag de gesponsorde tractor naar voren schieten om de vloer van de arena vlak te maken, heen en weer harkend door wolken zelf opgeworpen stof. De ceremoniemeester liet geïnteresseerden weten dat het stierrijden nu elk moment kon beginnen. De ruiters stonden met hun felgekleurde bloezen, vreemd smetteloze hoeden en steungordels op een kluitje langs het hek achter de kralen. Er waren, zoals Margie zou zeggen, geen grenzen aan de vreemde dingen die mensen deden om zich gelukkig te voelen.

Zo nam June de snoepjes van Margie aan omdat ze haar vrolijk en sentimenteel maakten en omdat ze wist dat ze ook zelf aan onnozele neigingen had toegegeven.

Aan één neiging in ieder geval: ze stak dingen in brand. Vlak voor ze ergens vertrok, zocht ze alle kleren bij elkaar waarin ze te eenzaam geweest was, of die door de verkeerde handen waren aangeraakt: brieven, foto's, dagboeken, trieste souvenirs: alles wat haar herinnerde aan wat het ook was dat was misgegaan. Er was altijd iets misgegaan. En dan besprenkelde ze de hele verzameling met aanstekerbenzine of spiritus en liet haar verdriet in vlammen opgaan. Zo hoefde ze minder in te pakken.

Haar verhuurders merkten dat ze verdwenen was, dat hun tuinen rokerig, hun gazons geblakerd waren, één keer was er achter een ruitje gebarsten van de hitte.

Toen ze Margie voor het eerst had ontmoet, had June op het punt gestaan om uit James Bridge te vertrekken, en ze was bezig geweest met de gebruikelijke voorbereidingen. Ze was begonnen met handenvol papier en wat droog hout – ze had geleerd dat haar brandstapels zichzelf niet gaande hielden en meestal een koel, slordig vuur produceerden, dat waarschijnlijk in zijn eigen afval zou smoren. Dit keer had ze geluk gehad: een keukenstoel die ze altijd al deprimerend had gevonden, had het juist begeven en vormde nu het hart van haar brandstapel. Ze gooide er een synthetische bloes overheen en keek toe hoe hij tot een donkere, solide massa verwelkte.

'Aan het uitruimen?' Margie was om het huis heen geslopen en het gazon overgestoken zonder dat June er iets van gemerkt had. Margie kon griezelig stil zijn voor iemand van haar omvang.

'Ja. Binnenkort.' Pas toen had June begrepen dat de vraag niet geweest was of ze vertrok, alleen maar of ze dingen aan het vernietigen was die ze niet meer nodig had. 'Ik bedoel, ja.' Haar ogen moesten zichtbaar nat zijn, zo hadden ze aangevoeld, maar dit kon te wijten zijn aan de rook, die zich inmiddels als een lange, zwarte vlag boven de hele straat verheven had en waarin nu en dan smerige vegen papieras opkringelden. 'Te veel rook. Neem me niet kwalijk.' Ze had er haar ogen een beetje bij dichtgeknepen als een aanvullende bekentenis.

Maar Margie was blijven staan en had haar haar langzaam op genomen, alsof ze een paard inspecteerde, alsof ze de mogelijke bloedlijn van Junes verdriet probeerde te traceren. Toen had Margie het eerste van vele snoepjes aangeboden: 'Want als er bittere dingen gebeuren, moeten we allemaal slikken, maar we kunnen het leed toch in ieder geval wat verzoeten.'

Het moment was belachelijk: June liet het passeren, ze hield haar aandacht bij het vuur en merkte dat het briesje omsloeg, dat het kantelde en in haar gezicht woei, en ze was zich bewust van deze vreemde vrouw met haar kletspraat en haar snoepje: een meer dan gezette vrouw van middelbare leeftijd met een spijkerbroek en een flanellen hemd. De stad was er vol mee: vrouwen met tennisschoenen en een praktisch, mannelijk kapsel, vrouwen die verloren leken onder vele lagen onbruik.

June droeg haar haar lang. Het vuil en de wind en het alkalische water hadden het bros gemaakt en ze kon het niet meer kammen, kon alleen nog met de borstel de klitten en knopen bestrijden: een vol halfuur rukken om het op orde te krijgen, tot haar hoofd er pijn van deed en ze omringd werd door afgebroken strengen haar. Maar ze zou het nooit opgeven.

Het is van mij, ik heb er jaren in geïnvesteerd, ik heb het gemaakt. Iets moet je bij je houden als je vertrekt.

Ze had het achter zich voelen wapperen, onhandelbaar.

Margie had aangedrongen. 'Toe maar. Ik heb nog genoeg.' Margie had geglimlacht. 'Ik heet Margie.' En weer had Margie geglimlacht, deze keer breder.

Moeilijk haar te haten, al had June wel gewild. Margie was zo overduidelijk een goed mens, iemand die goed wilde doen, ook al dwong ze June erdoor om de stok te laten vallen waarmee ze het vuur gaande had gehouden en haar eigen lichaam te omklemmen als afweer tegen een weeë pijn, om vervolgens voluit te huilen, tot het zichzelf verstikte. Ze was te moe om weer te vertrekken, maar ze wilde niet blijven.

Niemand ziet mijn haar nog zoals het hoort. Ze raken het niet aan, en misschien zal het ook nooit meer gebeuren. Niemand zal er nog in ademen. Geen mens wil me nog leren kennen.

Een windvlaag had zich langs haar gedrongen terwijl de dreiging van de rest van haar leven gerocheld en gespuwd had, haar op al de gebruikelijke plaatsen gekwetst had.

Toen had ze met de rug van haar ene hand in haar gezicht

gewreven en met de andere Margies snoepje aangenomen, knipperend en snotterend, had even met de wikkel geworsteld en vervolgens haar mond om het snoepje gesloten. Het smaakte naar kersen.

'God is in ons.'

Hun kennismaking was voor Margie het zoveelste bewijs van interventie van bovenaf geweest. Ze had gedacht dat ze haar huis verliet om te klagen over de rook van een vuurtje in de buurt en, wie had het kunnen denken, werd in plaats daarvan geconfronteerd met een vertwijfelde nieuwkomer. Het was haar plicht geweest om te helpen, of om God te helpen helpen. Dat maakte volgens haar geen verschil.

Volgens Margie liep de rodeo over van Gods gedienstige werken. Patty Block, die rondliep met een leeg bierflesje, misschien met de intentie het weg te gooien, werd in feite gedreven door de bedoelingen Gods, werd voor een knikje naar Mr. Parker gestuurd en vervolgens voor een praatje bij Bobby Lomax afgeleverd, om redenen die alleen God kende. Margies God was een onvermoeibare klusjesman die altijd in de weer was. Je kon nooit weten waar of wanneer Hij zou ingrijpen.

Maar Mr. Parker krijgt een knikje omdat hij bijna Patty's dochter had overreden, omdat hij niet oplette toen hij uitparkeerde, en het meisje toen had verweten dat zij niet had uitgekeken. Mr. Parker en Patty praten niet met elkaar, ze wisselen uitsluitend onbeleefde knikjes uit. En Bob Lomax flirt met Patty omdat hij medelijden met haar heeft, hoewel ze het geen van beiden verder laten komen, en dat zal niet de enige fles zijn die Patty deze middag leegdrinkt.

De lucht in James Bridge was dubbel onrustig, vergeven van het zand en van het venijn van onzichtbare beledigingen, toegevoegd en geïncasseerd, de precaire balans van huichelarijen, het knarsen en schuren van onderbroken, toegestane, uitgelokte, vermeden en gefrustreerde seks. Een deel van het gruis tussen je tanden had altijd de bittere smaak van seks.

En ik zou graag ongelijk hebben. Ik zou dolgraag willen dat God er was en dat al Zijn bemoeienissen helder waren. Het hoeft niet voor mij te zijn – ik zou me verheugen over hulp voor iedereen, als ik het maar zien kon. Maar er vált niets te zien, er is geen spoor van Hem te bekennen, omdat Hij óf niet bestaat óf ergens anders is.

Margie zei dat ze moest bidden – 'God hoort graag vreemde stemmen' – en Margie zelf bad dan ook geregeld, om genezing en raad, vanwege verloren kostbaarheden en natuurrampen, en om hulp voor vreemde vrouwen die vuurtjes plegen te stoken. 'Jij hoort niet in die bar te werken, daar word je maar verdrietig van. En luister, ik heb iemand nodig om me te helpen in de winkel, en dat zou jij moeten zijn – om het handwerk op te halen bij het reservaat – je kunt toch wel rijden, hè?'

Dus iedere woensdagmorgen ga ik hier weg en iedere woensdagavond kom ik weer terug. Nooit rij ik aan het reservaat voorbij. Ik haal op wat ik moet ophalen en lever het veilig af, precies wat Margie verwacht. Ik verpak droomvangers in cellofaan om ze tegen het stof te beschermen. Ik prijs vredespijpen en kralenwerk, pijlpunten. Ik zie Mrs. Timms week in week uit dezelfde zilveren armband stelen. Ik koop handgemaakte conditioner, nachtcrème en zeep op kruidenbasis en nog steeds is mijn haar stug en nog steeds krijg ik kloofjes in mijn handen en nog steeds trekt mijn gezichtshuid strak, en iedere keer als ik me was wordt mijn washandje zwart. Ik ben doorlopend uitgedroogd en vuil.

Het hek van de kraal schoof sidderend open, begeleid door het ontoepasselijke geluid van discogitaren, en een stier stormde bokkend naar buiten, de man op zijn rug schokte onstuitbaar naar links, maakte een laatste, brede, hopeloze zwaai met zijn vrije arm, daarna een spartelende val, en vluchtte naar de omheining. De stier kwam ploegend tot stilstand, schudde zijn kop, de spieren pompend en trekkend in zijn nek, een weerzinwekkend tegenwicht voor zo veel schedel.

Ik begin de andere vrouwen te begrijpen, waarom ze zo graag in mannenkleding lopen, om een echtgenoot bij zich te hebben in de glimpen die ze van zichzelf opvangen: anders kunnen ze er geen vinden. Ik kan net zo goed hetzelfde doen.

Als ik alleen zelf mijn lichaam vind, is het zonder betekenis. Dan heeft het geen bestaansreden meer. Ik loop rond en weet dat ik deze hitte, mijn eigen hitte, dit woelen, dit gloeien van wat ik ben en de zoete huid ergens heb weggestopt, en de waarheid, de zachte waarheid, de rust in mezelf. Natuurlijk is hier niemand die het ziet – en waarom zou ik het hen tonen? Ik zou het liever vergooien, vergooi het ook, iets anders laat het niet toe. Het graaft zich in voorbij wat ik kan aanraken. Of een ander kan laten aanraken.

'We hebben een paar prachtige beesten vandaag, u zult het vast met me eens zijn. De volgende stier is Napalm. Napalm wordt bereden door Derry MacKay.'

Een donker stuk schouder sidderde achter het hek. Erboven lichtte het helle geel van een hemd op, een hand die omhoogkwam in een vale handschoen.

Dat ik het met Freddie geprobeerd heb, dat was de genadeklap. Voor mij.

Ze was niet verbaasd geweest: 's nachts tegen sluitingstijd in de bar, toen ze de glazen begon op te halen, en Freddie die er in zijn eentje op zijn gemak bij zat, zoals altijd: rustig en onbeduidend. Ze had gezegd wat ze moest zeggen, gelachen zoals de bedoeling was, slecht getimed en zonder het te menen, maar dat maakte Freddie niets uit – te dronken om het op te merken.

Maar ze was niet verbaasd geweest, alleen maar koel, een beetje misselijk.

Ik wilde bewijzen dat ik het nog kon. Ik wilde bewijzen dat ik leefde.

Terwijl ze samen voortstrompelden, had ze geweten dat ze gevoelloos zou zijn tegen de tijd dat ze aankwam bij haar huis. Freddies handen hadden al overal aangezeten, onbehouwen, hadden zich alles al toegeëigend. Er was niets over dat ze hem kon toestaan.

Hij zou haar tegen de grond hebben gewerkt nog voor ze de deur open had, dat zou hij gewild hebben, met een zware whiskykegel vanachter tegen haar oprijend terwijl zij aan het slot morrelde.

Het is niets geworden.

Toen struikelden ze de gang in en lag ze onder hem, droog als as, terwijl hij het probeerde te forceren, terwijl hij babytaal brabbelde, het nog eens probeerde, vloekte. En ze was niet gevoelloos: ze kon zijn besmetting overal voelen, zijn dierlijke gewicht.

Hier ben ik terechtgekomen, mijn laatste toevluchtsoord.

Ze vocht en krabbelde onder hem vandaan, stootte hem aan met haar knie, rende weg met haar schoenen uit, haar bloes halfopen, de sluiting van haar jurk kapotgetrokken, en sloot zich op in de badkamer, tot hij gebonkt en geschreeuwd en zich moe gelachen had, tot hij de voordeur had opengetrapt en verdwenen was.

Dat zal zijn verhaal over mij zijn, dat ik bevroor, dat ik ben weggerend. Dat het alleen aan mij lag.

De stier stormde zijwaarts naar buiten, wierp een muur van stof op, stortte zich erdoorheen, het gele hemd erboven, dat snel en licht heen en weer schokte, als iets triviaals. En de man zakte hortend naar de flank van het dier, ontzadeld, werd hangend aan één hand meegesleurd, en leek toen bijna rukkend of dansend in een kronkel te draaien, een warreling, een onwaarschijnlijke knak van het hoofd.

Ik kan vrijen. Ik moet vrijen.

June zag hoe de rodeoclown de arena in sprong en de stier met bokkensprongen weglokte, terwijl twee of drie mannen de ring in renden en neerknielden bij het lichaam van de man, waar het plat en wonderlijk recht in het zand lag uitgestrekt, met iets roods in het gezicht. Een minuscule ambulance kwam aangehobbeld door de ingang in de verte.

'We geven ze alle tijd die ze nodig hebben, dames en heren, om te doen wat gedaan moet worden voor ze hem naar het ziekenhuis brengen.'

Drie kwartier rijden naar het eerste ziekenhuis.

Twee ziekenbroeders in jumpsuit hielden zich nu met MacKay bezig, ze hadden een brancard bij zich, de glans van hun uitrusting detoneerde tussen het vuil van de arena. En een slungelige jongen met een grote hoed en een helgeel hemd als dat van zijn vader zat boven op het hek en leunde naar voren, naast hem een man die een hand op zijn schouder legde – misschien om hem te troosten, misschien om hem tegen te houden. En alsof ze zichzelf erheen had gewenst, was er nu ook een vrouw in de ring, aantrekkelijk in een strakke spijkerbroek, een zijden blouse, met goudbruin haar, en ze duwde een van de cowboys weg en knikte met haar hoofd, alsjeblieft, alsjeblieft, alsjeblieft, om vervolgens de tribunes haar rug toe te keren en zich uit de heupen voorover te buigen voor een beetje privacy, want het was duidelijk dat ze niet kon verdragen dat iedereen toekeek en het was duidelijk dat ze ook niet kon vertrekken.

'We laten het weten zodra we iets horen, mensen. Zo gauw we iets horen.'

De ambulance hobbelde in stilte weg, niet het geringste rumoer van de motor, een geruisloze aftocht door het hek en verder over het zandpad om uit te komen bij de eerste grijze bocht in de weg. Het was alsof de druk van zo veel ogen hem van zijn geluid beroofd had.

Vijfenveertig minuten en waar zal God zijn als ze aankomen. Toen June zich weer omdraaide werd de arena vrijgemaakt. Achter de helling zouden nu auto's vertrekken om de ambulance te volgen. Ze keerde om en liep met de zon in haar rug tot ze bij de steile glooiing kwam, het gras hoog opgeschoten maar platgedrukt waar gedurende de dag iemand gezeten of gelegen had, grotere stukken waar het stelletjes of gezinnen waren geweest. June koos een ongerepte plek voor zichzelf en ging zitten, genietend van het gedrang van halmen om haar heen. Nog een paar weken en alles zou tot stro verdord zijn.

Buiten haar blikveld ging de rodeo verder: wat klonk als gelach en verspreide toejuichingen toen de groepsrace begon: het balken van een ezel, nog meer gelach. June sloot haar ogen en zag de vrouw in de ring en hoe ze geknikt had, al haar bewegingen houterig van ontzetting, hoe ze vocht onder de opkomende pijn.

En ik was de enige daar, de enige lelijke, slechte mens die precies dat wilde. Ik voel geen sympathie voor haar, of medeleven, of betrokkenheid: ik wil alleen het recht om ook zo gekwetst te worden, om te weten wat ik mis. Iemand hebben die ik verliezen kan.

Ik wil alleen maar een reden voor het verdriet. Alstublieft, God, dat wil ik. Laat me treuren om een lichaam dat ik heb liefgehad, een lichaam dat mij heeft liefgehad. Alstublieft, God, niet meer dan dat.

Ze wist niet of ze huilde, of iemand het kon zien, en de wolken trokken stil over de avondlijke heuvels, en ze had niets meer om te verbranden.

WIT HUIS BIJ NACHT

Danny vroeg zich af waar hij was: waar hij zélf was. Nee, echt – op welke plaats in het lichaam dacht hij zich te bevinden. Het was iets wat je wel wist, je stond er alleen nooit bij stil. Stelde je de vraag, dan kwam zonder mankeren het antwoord: 'Ik zit hierboven, voornamelijk hierboven', jijzelf in een soort kleine capsule, druk in de weer aan de achterkant van je ogen, je aandacht daar waar de blik zich richt: rustiger als ze gesloten zijn, maar zonder enige twijfel altijd aanwezig, verscholen op een onbenoembare plek ergens achter je bijholtes en opgericht, als het ware, boven de welving van je gehemelte, een onzichtbare kostganger.

Je kon je hele lichaam voelen, je besefte dat het bij je hoorde en dat het persoonlijk was, maar jijzelf, *waar je was*, dat strekte zich niet uit tot je ledematen, het nam geleidelijk af. Je handen bezaten dan wellicht de gave van attentie, of misschien je pik, maar eigenlijk verkeerde je in je hoofd, daar woonde je.

Hij kende het experiment – hij dacht dat hij het zich van een college herinnerde – waarin mensen verzocht werden om hun eigen naam op hun voorhoofd te schrijven en bijna altijd schreven ze in spiegelschrift, ten behoeve van dat innerlijke zelf dat ze hadden, dat hurkend achter hun gelaat door hun schedel naar buiten keek.

Dat was het bewijs: iedereen leefde in zijn eigen hoofd.

Dus als Niamh het zei om hem te kritiseren, had ze ongelijk. Dat hij daar leefde betekende slechts dat hij menselijk was en dat zij het niet begreep. Hij was gewoon een mens, net als iedereen.

167

Op zeker moment was de zon ondergegaan en nu weifelde de kamer in het licht van langsschietende koplampen, in de grotere glinstering van trams, en zonk dan weer terug in duisternis en droge warmte. De verwarming was uitstekend hier, trotseerde de avondvorst met volmaakte Zwitserse doelmatigheid. In feite was het al met al geen slechte woning, veel schoner en groter dan de ruimte waarmee ze zich bij de opgraving moesten behelpen.

Imre had gezegd dat ze zo lang konden blijven als ze wilden. 'Neem. Neem. Appartement van mijn heel goede vriend in Luzern. Hij is nooit thuis', had Imre aangedrongen. 'Rustige plek, Luzern. Jullie zullen genieten.' Natuurlijk konden ze niet echt zo lang blijven als ze wilden, dat konden ze nooit. 'Het is heel... heel netjes. Niet zoals hier. Neem maar.'

Eén dag om er te komen – de vrachtwagen en twee vliegtuigen zouden volstaan – één dag om terug te komen, maar dan restten er nog vier vrije dagen voor henzelf: vier ongerepte dagen ergens anders. Het lag voor de hand om het aanbod te accepteren, de sleutels, de slordige kaart met het meer als een grillig waas ingevuld met potlood. 'Rustige plek.' Al kwamen ze bij Imre in het krijt te staan. 'Het zal Niamh bevallen op zo'n plek, let maar op.' En wat dan nog. 'Zij zal blij zijn.' Ze moesten even op adem komen en dit was de oplossing. 'Neem. Je moet aannemen.'

Maar de opgraving hadden ze niet echt van zich af kunnen schudden. Die bleef hen bij: bleef hem bij, Dan vermoedde dat dat dichter bij de waarheid kwam. De geur van turf hing nog steeds aan zijn handen, en die andere, diepere geur, of de herinnering eraan, kwam in hem op als hij zich ontspande: boterzuur, methaan, soms een zweem van metaal en wat hij alleen kon omschrijven als een smaak van onwerkelijkheid, van een situatie die nooit geaccepteerd zou kunnen worden,

168

ook al stond je er middenin: misschien juist dan niet. Die bijzondere mix van geuren was universeel: de dood was uiterst voorspelbaar in hoe ze zich aandiende op alle continenten.

Deze keer was de vindplaats in goede conditie geweest, de lichamen waren haastig begraven in een natte, zuurrijke bodem – ideale omstandigheden en nogal zeldzaam voor dit type terrein. In theorie was de kans op identificatie groot: sommige gezichten waren aangetast, maar niet al te zeer veranderd, een deel van de kleding was wellicht nog herkenbaar. Bij een enkeling die in de diepere lagen lag begraven was het niet op voorhand uitgesloten om vingerafdrukken te nemen, als de plooibare huid vrijwel intact van de handen kon worden gestroopt. In zulke gevallen was het vrij eenvoudig om af te knippen wat hij nodig had en in iedere dode sluif een vinger te laten glijden, om de blauwe nagels op de zijne te leggen, om zich in de schaduw van een andere man te dompelen. Met een laagje latex ertussen natuurlijk   hygiëne. Dan bracht hij vervolgens de inkt op, voorzichtig, en maakte drukkend en rollend de vereiste afdruk. Niamh deed hetzelfde met de vrouwen als het noodzakelijk bleek. Met kinderen was het moeilijker: klein. Maar hoe dan ook, tenzij bij hen als peuter vingerafdrukken waren afgenomen en de dossiers te achterhalen waren, had het weinig zin om het te proberen.

Bij de huidige opgraving waren tot nu toe drieënvijftig lichamen aangetroffen, zoveel zag hij er thuis meestal in een heel jaar niet. Zeventien op de laatste vindplaats, een slordige herbegrafenis, afgedekt met ongebluste kalk. Achtennegentig in het graf daarvoor. Het was een geweldige leerervaring.

En het was ook geweldig dat Niamh erbij kon zijn. Ze leek zich altijd zorgen te maken over de veiligheid, wat niet onredelijk was – de mensen die de lijken begraven hadden, waren meervoudige moordenaars, ze wilden dat de aarde hun absolutie gaf voor hun misdaden en ze wilden de dingen laten zoals ze waren. In Chili, Argentinië en nu hier, je haalde zaken overhoop die zij ongemoeid wilden laten. Dat bracht risico's met zich mee, dat sprak vanzelf, en Niamh was een vrouw die graag zekerheid had.

Het was voorgekomen, wist hij, dat ze hadden toegezien terwijl hij aan het graven was – de moordenaars. Ze keken toe met die vreemde gelaatsuitdrukking, bijna koket, bijna trots, in het stille ongeloof dat iemand werkelijk kon proberen te herstellen wat onherstelbaar was: er werd niet meer omhooggehaald dan het bewijs van massamoord, terwijl het nooit een groot geheim geweest was, hoogstens het type grap waarvan verstandige mensen zeggen dat ze hem nooit gehoord hebben. Wie voor vernietiging was voorbestemd, was vernietigd – wat zou je nog meer willen weten? Wat kon er verder nog zijn?

Danny werkte terwijl zij hun hoofd schuin hielden en peinzend het raster van draden en de kleurige vlaggetjes bezagen, de dure camera's – alle pietluttige attributen van zijn vak – en hij wist dat het ontoereikend moest lijken. Het was zijn taak om naar gerechtigheid te graven, om de doden een stem te geven – maar het enige wat de doden konden doen was hun verwondingen opsommen en het volkomen succes van hun folteraars bevestigen. Niets van wat Danny deed had enige krácht, zoveel wist hij.

En zij wisten het ook, de toeschouwers, ze konden zijn twijfel proeven. Als ze zijn blik vingen, begonnen ze te glimlachen, plagerig, in afwachting van een teken van zijn echte beweegredenen: hij moest beweegredenen hebben, zijn eigen vorm van schuld. Het hele gedoe maakte dat hij zich schaamde en boos werd op zichzelf. Hij werd geacht voor de goede zaak te werken, dus hoorde hij zich goed te voelen, hij moest ermee om kunnen gaan. Het zou helpen als de verantwoordelijken werden opgepakt. Maar dat gebeurde bijna nooit.

Waarschijnlijk lag het daaraan dat de moordenaars nooit beschaamd of kwaad schenen te zijn – dat ze slechts hoogst zelden een dreigement uitten – niet dat hij ervan gehoord had, tenminste. Degenen die dreigden waren de nabestaanden: die riepen om wraak, haalden onverhoeds gebutste vuurwapens tevoorschijn: om hun dierbaren te verdedigen, maanden te laat.

Dingen waar Niamh nooit mee te maken mocht krijgen, met niets daarvan – ze had gelijk. Dus was hij tot nu toe liever alleen gekomen, maar op deze reis waren ze goed beschermd – troepen van de VN en plaatselijke bodyguards. Hij had haar ervan overtuigd dat het veilig was, omdat het belangrijk was dat ze samen waren. Ze deden hetzelfde werk en ze hoorden samen te werken op dezelfde plek.

Hij stond op, liep naar de andere kant van de kamer en keek omlaag uit het raam. Aan de overkant stond het Casino discreet te gloeien: een lang, smaakvol blok in pasteloranje en crème: geen neon, niemand die er in- of uitliep, geen mens te bekennen die een gokje wilde wagen. Even drukte hij zijn wang tegen de doffe kou van het glas en deinsde terug. Hij bracht zijn handen naar zijn schedeldak, spreidde zijn vingers en greep, alsof hij daarbinnen beweging dacht te kunnen voelen, de huivering van zijn ik te kunnen betrappen als hij maar hard genoeg kon knijpen.

Niets.

Danny bukte zich om zijn schoenen en sokken uit te trekken. Zijn jasje lag al ergens op de vloer. Hij had een stropdas omgedaan toen hij nog van plan was geweest om uit eten te gaan, maar hij zou hem niet meer nodig hebben:

dus deed hij hem af en liet hem vallen.

De nabestaanden – hij trok zijn hemd uit de broeksband en wist dat hij aan hen zou denken. Het was nutteloos om te zeggen dat ze weg moesten blijven – ze deden waar ze zin in hadden, aangezet door dat vreselijke privilege dat ze hadden.

Ze waren in alle landen hetzelfde. Heel vaak hoorde niemand te weten dat er een graf werd geopend, maar ze kwamen toch en stonden dichterbij dan de bedoeling was: degenen die riepen, degenen die bleven staan, degenen die dit nooit eerder hadden gedaan, degenen die inmiddels niets anders meer deden. Degenen die huilden.

Al de manieren waarop mensen kunnen huilen – hij leerde de variaties kennen en besefte dat ze vrijwel oneindig waren, net zo kenmerkend als tandartsgegevens of DNA.

Toen hij de knopen los had, trok hij zijn hemd uit, propte het op en wierp het in een hoek, hoorde het niet neerkomen.

De nabestaanden hadden foto's, signalementen van mensen die geen mens meer waren – hun hobby's, de kleine dingen waaraan de doden plezier hadden beleefd. Vrij regelmatig arriveerden er vaders en broers, maar er kwamen vooral vrouwen, met name moeders, wat minder vaak echtgenotes. Hij zei tegen hen allemaal dat ze moesten vertrekken: de details laten registreren, misschien de laatste eer bewijzen, afscheid nemen, maar wel vertrekken. Het kon nooit de bedoeling zijn dat ze de opgravingen zagen.

Eén ruk en zijn riem schoot klappend los, en hij liet hem slingeren met de bedoeling hem te laten vallen, maar hij bedacht zich en hield hem vast. Hij omklemde de gesp en begon met zijn arm te zwaaien, voor zijn lichaam langs en wijd naar buiten, het leer snorrend en zwijgend in één cyclus, alsof er iemand bij hem was die rillend ademhaalde.

Achteruit stappend in het schemerige midden van de kamer draaide hij zich langzaam om, nog altijd zwaaiend, en

sloeg een of ander pronkstuk omver – iets van zwaar porse-
lein – toen nog een – hij dacht de vis van Venetiaans glas. En
hij hervond zijn ritme terwijl hij met voldoening hoorde hoe
ergens iets omviel, wegrolde en brak. Toen richtte hij zijn
aandacht op de tafel, liet zijn riem knallen boven het glimmende bonbonschaaltje en zijn whiskyglas. En hij begon te
rennen, maaiend met zijn riem, en striemde zijn eigen
schenen, raakte de stoel waarin hij gezeten had en ranselde
erop los, met welgemeende uithalen, belust op de verwonding die impliciet in elke slag besloten lag.

Toen hij ophield voelde hij zich afgemat, geradbraakt. Hij
legde de riem weg, maakte zijn broek los, bukte zich om hem
af te stropen, zijn onderbroek ook, en stapte opzij. Het was
tijd om weer naar het raam te gaan, om te genieten van de
hoogte, zijn blote voeten nerveus vanwege de glasscherven
op het tapijt, maar niet zo nerveus dat hij niet wilde lopen.
Toen hij aankwam bij het uitzichtpunt – die ene hoge ruit –
was hij nog ongeschonden.

Hij zette zijn benen schrap en leunde naar voren, een
gladde kilte klaar om hem te begroeten, van zijn voorhoofd
tot aan zijn knieën, borst en buik zwoegend tegen het raam,
wijkend en weer drukkend. Danny had zich niet gerealiseerd
dat hij buiten adem was, had niet gemerkt dat wat hij gedaan
had inspanning had gekost. Zijn pik stak van de kou, maar
het hinderde hem nauwelijks. hij kantelde zijn heupen naar
voren en duwde de pijn omlaag naar zijn ballen, hief toen
zijn armen, strekte ze omhoog langs het raam met de palmen plat naar voren. Hij draaide zijn hoofd opzij, zorgde dat
hij nauwer aansloot, en gaf zich over. De straatgeluiden
klonken hol en heel ver.

Maar niemand zou hem opmerken. Dit was het kalme,
bekoorlijke Zwitserland: niemand zou opkijken.

Hoewel ze dat eigenlijk hoorden te doen, omdat hij het

verdiende. Een schande om een schande uit te drijven zodat hij zich goed zou voelen, tevreden.

Vanmiddag had hij aan het meer gestaan, over de reling geleund naast Niamh, en ze hadden gekeken hoe de meerkoeten zich onder het oppervlak lieten verdwijnen, hoe ze door het heldergroene water zwommen, hun ruggen verzilverd door aanhangende lucht, de koppen doelbewust. Ze waren terug naar de oppervlakte geschoten, sierlijk en ongedeerd, de witte snavels bezig met brokjes van het een of ander. Ze waren heel grappig. De kuifeenden, de zwanen, de houten bruggen: alles bijzonder pittoresk. Het had hem niet kunnen bekoren.

Hij had zich verontschuldigd en een telefooncel opgezocht, had Conrad opgebeld en gevraagd naar lichaam 41. Het was het lijk van een vrouw met opvallende kenmerken – beide borsten vergroot met implantaten. Toen ze haar ontdekten had ze op haar zij gelegen, de gel-implantaten hadden zich reeds in het veen bij haar lichaam genesteld: zacht en misplaatst, als iets uit de zee. Ze hadden de producent en het model achterhaald: nummer 186, een rond implantaat met zoutoplossing, frontale klep en een omhulsel van RTV-siliconenrubber. Ze hadden de catalogus, het artikel- en serienummer van de hoop van een vrouw op verandering, van haar idee van schoonheid misschien, van haar hoop op zelfvertrouwen.

'Bonnie Dukic.' Conrad had de naam bij de hand.

'Oké.' De naam zei Danny natuurlijk niets, en ze was dood, ze had hem niet meer nodig. 'Verwanten?'

'In Amerika. Ik geloof in Amerika – daar geboren, Bonnie Simic. Getrouwd met ene Hasim Dukic en terug naar het oude land gegaan. Ze hadden een zoontje, Aleksandar.' Er was geen reden om aan te nemen dat haar echtgenoot of zoontje nog in leven waren.

'Goed. Een naam dus. Mooi zo.'

'Dat had ik je ook kunnen vertellen als je terug was.'

'Ja.' Vaak vond Danny het prettig om Conrad te horen praten – hij straalde iets van rust uit.

'Je bent op vakantie, Dan. Vergeet het niet.' Hij kon soms te moralistisch zijn, superieur, maar meestal stelde hij alleen maar vragen en liet je beseffen dat je antwoorden je ingaven hoe je verder moest.

'Ja.' Danny had best wat toeschietelijker willen zijn, maar hij had het warm gehad, hij had zich onzeker gevoeld.

'Heeft Niamh het naar haar zin?' Hij liet je jezelf beschuldigen, Conrad – dat was de ellende met hem, zijn probleem.

'Wij allebei. Jawel. Dus moest ik maar weer eens terug.' Conrad had geen antwoord gegeven, hij had slechts een vriendelijke stilte laten vallen, terwijl Danny geen behoefte had aan vriendelijkheid. 'Ik zie je maandag weer.'

'Doe rustig aan.'

'Natuurlijk.'

Danny had zich afgevraagd of Aleksandar het jongetje in de draagtas kon zijn. Nummer 15. Het zou niet erg moeilijk uit te zoeken zijn: het DNA van de moeder zou leiden naar het zoontje, het zoontje kon wellicht helpen de vader op te sporen.

Hij was terug naar de balustrade gelopen en had Niamh omhelsd, haar lichaam tegen het zijne strijkend, en hij had zich gelukkig gevoeld, tot het willoos werd en verstarde en hij haar losliet. Of misschien was het zijn fout geweest, misschien had hij koud geleken op de een of andere manier, en had hij haar doen verkillen.

Dat soort dingen, de spelletjes, vermoeiden hem. Ze maakten dat hij zich afvroeg welke kleren Niamh zou dragen als ze haar vonden. Uiteindelijk, op het absolute einde, was je altijd een ding dat moest worden blootgelegd, wat soms eenvoudig was en soms niet. Of ze zou naakt kunnen zijn: wat was voorbestemd kon haar komen halen als ze naakt was. Ja, ze zou best naakt kunnen zijn.

Danny realiseerde zich dat hij gewend was aan het raam, dat hij het niet meer kon voelen. Hij kon zich voorstellen dat het verdwenen was en dat hij puur door een soort wilskracht overeind werd gehouden, een weerstand waarover hij geen controle had. Zoals hij tegenwoordig leefde hoefde dit niet te verbazen. Net als wanneer hij naar de opgraving liep; er was een pad dat ernaartoe leidde – veilig en vrijgemaakt van mijnen – maar op sommige ochtenden kon hij het niet gebruiken, dan moest hij zich een weg banen door de bossen, terwijl de hysterie zijn kuitspieren deed verkrampen en zijn hemd volkomen doorzweet raakte van de angst dat hij op iets ergs zou stappen. En toch was dat de weg die hij moest gaan.

Hij verplaatste zijn gewicht en het patroon van kou op zijn buik veranderde. Links langs het raamkozijn ontsnapte een geknars. Danny dacht dat hij gelach hoorde opklinken beneden op straat. Paniek vlamde op in zijn borst, maar hij bleef waar hij was, blootgesteld. Hij had geen keus.

Hij begon te geloven dat niemand iets te kiezen had. Als hij 's avonds laat opbleef, opeengepakt in de keuken met Imre en de bewakers: 'Klootzakken zijn het.' Dan zei hij alle dingen die hij bij Conrad niet kwijt kon: 'Ze doen het omdat ze het kunnen doen.' Dan gaf hij zijn geheimen prijs. 'De mensen willen graag weten waartoe ze in staat zijn. En ze doen het graag.'

'Ja. Natuurlijk. Ja.' Imre grijnsde. Hij genoot als Danny dronken was en als het donker was: dan werd hij altijd vriendelijker, geïnteresseerder.

'Ze geilen erop.' De bewakers spraken geen Engels, of leken de taal niet te spreken. Imre ook, als hij wilde kon

hij doen alsof hij je niet begreep. 'Geilen. Erop. Klootzakken.'
Bij hen kon Danny zich ontspannen, alsof hij tegen niemand
sprak en alles kon zeggen – ook gedachten die onacceptabel
bleken als je ze uitsprak in een mensenrechtengroep. 'Net als
met seks – ga maar eens na hoe vaak je daaraan denkt, hoe
vaak je dat wilt – ze zijn er op dezelfde manier gek op.'

'Seks? Wat weet jij daarvan, Mr. Dan?' Om de een of
andere reden zat Imre hem te sarren, alert en ontwijkend,
grinnikend.

'Ik zei... Ik zei dat de manier waarop ze ervan houden...'
En toen formeel, naar voren leunend, bruusk: 'Dacht je
soms dat het om iets anders ging, Mr. Dan? Geld? – daar
houdt iedereen van, eerlijk gezegd, jawel – en om een boerderij in te pikken, of een huis dat je al lang wilde hebben – dat
is mooi. Maar moord, daar moet je van houden – puur om
het moorden zelf, niet om er iets aan over te houden. Om te
moorden zoals hier... moet je ervan houden.' Imre had een
hand op Danny's schouder gelegd: 'Je begrijpt het.' Een
hongerige aanraking, te stevig.

En het was zo, Danny begreep het. Conrad praatte bepaalde
acties goed, hij maakte de waarheid troebel met verhalen
over propaganda, paranoia, politieke manipulatie van de
eenvoudigen van geest. Hij gaf hoog op van het fundamen-
tele karakter van menselijkheid. Iedereen deed alsof hij het
met hem eens was. Maar Danny wist, kon voelen wat fundamenteel menselijk was, zodra hij in de grafkuil stond –
daar vond je het. Dan kon hij de moordenaars proeven, hun
liefde. Conrad was net een kind. Hij was heel nobel en be-
wonderenswaardig en een goede, zij het wat pedante leraar,
maar hij was nog een kind.

'Als niemand ze tegenhoudt...' Imre nipte voorzichtig van
zijn wodka, 'dan blijven ze doorgaan. Dan gaan ze eindeloos
door.' Zijn drinken was altijd beheerst. 'Het is voor hen

uitgevonden.' Eén keer per week kwam hij met de wodka aan, hij nam bestellingen op en nam harde valuta in ontvangst; sigaretten verkocht hij ook, chocolade, condooms, melk in blik. God mocht weten wat nog meer. 'Ze zijn ervoor gemaakt.'

Danny kocht niets.

Alleen condooms.

Alleen in het dure appartement van iemand anders, proefde Danny Imres stem, en hij rekte zich uit, nog steeds in dezelfde houding, met zijn huid klevend aan het glas, eraan gehecht, gewend aan zijn plek. Maar er zat een pijn tussen zijn schouders waar hij vanaf wilde. Hij wist niet hoe lang hij zo moest blijven staan en hij wilde niet meer pijn hebben dan nodig was.

De noodzakelijke tijd zou verglijden terwijl hij evenwicht zocht in zijn hoofd, zoals iedereen het deed, door te doen of te vermijden wat nodig was en het resultaat af te wachten. Zo zat de mens in elkaar. Ze konden hoogstens zoveel bloed verliezen, hoogstens zoveel pijn verdragen, slechts functioneren als de mishandeling binnen bepaalde grenzen bleef, en iedereen had zijn eigen patroon van weerbaarheid. Het ene individu ontweek misschien wat bedoeld was, een ander vond er juist steun bij, weer anderen lieten zich erdoor voortdrijven. Het gelukkigst waren de gedrevenen, hun hele leven was moeiteloos. Zij vonden de ruimte en energie om te genieten van aangename dingen.

Die condooms bijvoorbeeld: in Chili, in Argentinië of hier: hij kocht condooms. Hij had ze nodig. Ze waren voor hem bestemd. Omdat er altijd vrouwen waren zonder hun echtgenoot, zonder hun kinderen, hun pijn als opgedroogd bloed in hun kleren, en ook sommige van die vrouwen waren voor hem bestemd.

Zie hoe haar handen zich krommen, hoe de vermoeidheid

haar trager maakt, het instorten van alles behalve de eenzaamheid – het is een soort bederf en je weet alles van bederf
– en je loopt op haar af, zoals je door de gevaarlijke bossen
loopt, en je spreekt haar aan met woorden die ze misschien
niet begrijpt, maar zachtjes, vriendelijk, en ze weet dat ze
met je mee moet gaan, want het maakt deel uit van de vorm
van haar leven: dit is hoe het is.

Er een tegen de grond werken tussen de bomen, achter de
tenten, of het riskeren in je nachtverblijf, of uiteindelijk,
vanzelfsprekend, haar naar je toe trekken bij wat er 's nachts
nog te ontwaren is van een grafkuil – om het even welke – en
haar woest bezitten onder je, of als vlees, of terwijl ze je voor
iemand anders houdt. Zo moest het zijn.

Alles wat hij deed was onvermijdelijk, maar hij was niet
sterk, hij kon zich nooit volledig overgeven aan dat deel van
het mens-zijn. Hij bleef onrustig, hij worstelde, en dit was de
reden waarom hij zich slecht voelde in plaats van zijn reser-
ves te laten varen in de schittering van ledematen, verkreu-
kelde stof, in het klemmen van hun ontblote tanden.

Zijn pik verstijfde tegen de ruit, wist hoe het hoorde te zijn:
gevangen binnen de perfecte begrenzing, en hij onverzoen-
lijk als bot en dwingend, op zoek naar hun warmte. De
vrouwen maakten hem hard omdat hij zo hoorde te zijn.

Maar niet op deze reis.

Imre had hem de eerste pakjes plechtig overhandigd, met
een blik van verstandhouding: 'Trojans. Voor de lieve vrouw.'
Hij zei het alsof het niet weerzinwekkend was. 'Het huwelijk
is een nobel instituut, nietwaar, Mr. Dan?' Zijn gezicht onbewogen nu, verveeld zelfs.

Danny griste het doosje weg en mompelde 'Ja'. Want hij
had niet aan Niamh gedacht, hij had ze uit gewoonte gekocht
en nu herinnerde hij het zich. 'Ja.' Niamh gebruikte een
pessarium. 'Zo is het.' Ze wilden geen kinderen.

Dus stal Danny Niamhs pessarium, terwijl zij bezig was in de lijkentent. Daarna gooide hij het in de rivier, samen met het doosje. Hij nam ook een armband en haar trouwring weg – die ze nooit droeg als ze werkte – en begroef ze achter een haag. Ze vond de diefstal verontrustend maar niet onwaarschijnlijk. Danny bood haar een betrokken stilte.

Niamh had het nog steeds niet zo op condooms, ze hadden iets goedkoops, zei ze, ze deden haar aan ziektes denken.

Danny wist haar te overreden, wendde een gebrek aan ervaring voor toen hij de eerste afrolde. En ze vrijden ook, omdat het zo hoorde, maar ze ontblootte haar tanden niet voor hem en ze vergat niet wie hij was. Hij probeerde ervan te genieten.

'Ach, Mr. Danny, altijd zo serieus.'

Het was niet echt een verrassing geweest toen Imre plotseling opdook in Luzern. 'Zo serieus maar altijd een plezier.'

Ze waren samen uit het eettentje gekomen, Danny en Niamh, op weg naar de watertoren, en toen was daar Imre, die de straat overstak om hen te begroeten, helemaal niet alsof hij hen had opgewacht, maar zo perfect getimed dat hij precies dat gedaan moest hebben. 'Wat een verrassing.'

De enige andere manier om zo op het juiste moment op de juiste plaats te zijn, was door jezelf volkomen over te geven aan je intenties. Imre, die te veel gereisd had om eerlijk te zijn, die te veel verdiende, die nog minstens één andere naam had – Ivo nog iets, Ivo Hemon – Imre, die misschien wel vreselijke dingen gedaan had, je kon merken dat hij begreep wat bestemming was en hoe je plezier kon hebben in de mensheid.

'Hebben jullie al geluncht?'

Niamh knikte en Imre deed of hij fronste en knikte met haar mee.

'Dan nodig ik jullie uit om samen met mij te dineren, op mijn kosten. Vis. Vis misschien?'

En toen hadden ze langs de *quais* gewandeld, alsof het zo afgesproken was, en Imre had een zak met oud brood tevoorschijn gehaald; krijsende meeuwen zodra hij hem uit zijn jaszak haalde. 'Als je mij toestaat...?' Hij had zijn wenkbrauwen opgetrokken naar Danny, ervan uitgaand dat hij toestemming had in plaats van erom te vragen, en zijn arm had Niamh over het gravelpad geleid, naar de grote stenen aan de rand van het meer en toen naar het water en het gewoel van verzamelde vogels. Ze hadden zich gebogen, zij aan zij, Danny een paar meter achter hen, en Imre had de zak opgehouden en Niamh had de kruimels verstrooid, alsof dit hun ideale opstelling was, die de natuur altijd al bevorderd had. Imre en Niamh, hun handen maakten geen contact – er vormde zich een perfect ritme tussen hen zonder de geringste aanraking.

Nooit was het bij Danny opgekomen dat als hij met anderen kon neuken, zij dat ook moest kunnen. Stel je voor. Nu leek het vanzelfsprekend.

Toen het brood op was, had Niamh de kruimels van haar palmen en vingers geveegd en even over die van Imre gestreken – zijn huid een uitbreiding van de hare. Daarna had ze niet geaarzeld, had er niet eens aan gedacht om te blozen, was gewoon bij haar echtgenoot teruggekeerd, glimlachend, zelfverzekerd.

'Zie je, Mr. Dan? We voeren de zwanen, we voeren de eenden en vanavond zullen we zelf eten. Alles op zijn tijd, nietwaar?'

En Danny had hem het enig mogelijke antwoord gegeven, 'Ja', en had het dringen van de bestemming om zich heen gevoeld, onweerstaanbaar. Mensen die over wilskracht beschikten, die volhielden, die overal mee wegkwamen, konden nemen wat ze hebben wilden, van iedereen.

Niamh zou nu bij Imre zijn: om die reden had Imre hen hierheen laten komen. Danny had jaren gegraven en onderzoek gedaan, en had getracht te geloven dat hij werkte voor wat juist was, dat hij hielp duidelijk maken wat juist was. Maar wat juist was, was dit – was dit hier – deze man hoorde zijn vrouw te neuken, Imre hoorde met Niamh te neuken, en hij hoorde hen niet voor de voeten te lopen.

Hij was uitgenodigd voor het etentje, maar hij werd niet geacht erop in te gaan – zijn taak was om de dingen eenvoudig te maken. En hoe dan ook, ook al probeerde hij het, hij zou nooit over de drempel van de voordeur kunnen stappen – te veel weerstand.

Hier blijven, dat was zijn bestemming – wat hij moest doen – het was menselijk en noodzakelijk dat hij zich schrap bleef zetten tegen het glas, dat hij klaarstond in zijn nutteloze naaktheid voor als Niamh terugkwam, misschien samen met Imre, misschien ook niet.

Zij moest degene zijn die hem opmerkte, zij moest omhoogkijken.

Wat er daarna moest gebeuren wist hij niet.

IETS VERKEERDS

Ik zou liever mijn ogen niet opendoen, niet deze morgen. Uiteindelijk zal ik toch moeten, ik weet het, maar ik doe het tegen mijn zin. Ik zou veel liever niet meewerken.

En de insecten, die maken het er niet beter op. Ze zijn buiten, ik heb geen idee hoeveel, maar klaarblijkelijk een heleboel, en allemaal maken ze van die hete, onvoorspelbare zoemgeluidjes: als losgeraakte draden die vonken, als blikken speelgoed dat het begeeft: daar achter de muren en ramen, duizenden minuscule insecten die tekenen geven dat ze elkaar dood willen maken en dat ze seks willen.

Maar het is goed zo, omdat ze niet hier bij mij zijn, ik denk het niet tenminste. Ik voel geen behoefte om het te contro leren.

Ik zou wel willen weten waarom mijn mond naar roest smaakt, wat ijzer betekent, wat bloed betekent. Ik hoop dat ik alleen maar wat roest gegeten heb en het vergeten ben; niet erg waarschijnlijk maar ik probeer het toch maar te denken. Ik moet gisteravond iets roestigs geslikt hebben of eraan hebben gelikt, maar nu herinner ik het me niet, kan het me nog niet herinneren. En ik denk dat ik gedroomd heb van iets met metaal erin: misschien is het mogelijk een smaak te bewaren die je in je slaap geproefd hebt.

In ieder geval heb ik ergens een slecht gevoel aan over-gehouden, een andere nasmaak, en ik hou beide ogen ge-sloten, omdat ik bang ben om ze te openen.

En toch zal het goed zijn, niet onplezierig, volkomen ver-trouwd, als ik mijn eerste blik op de dag laat ontsnappen. Ik kan het doen: het is niet bedreigend, zou niet bedreigend moeten zijn, er hoeft absoluut niets vervelends uit voort te komen.

Ramen met luiken ervoor, vlijmende lichtsneden, even dobbert het bed onder me als een bootje op een luie zee. Wat helemaal mis is.

Kijk eens aan, je ziet – geen probleem, niets om je druk over te maken.

Behalve dan over het bed en het licht, dat al ver gevorderd is, het soort licht dat je krijgt als je de ochtend gemist hebt, en dat had ik niet verwacht. Pijn doet het ook, wat echt niet zo hoort te zijn. Diep in het vlees van mijn brein is iets wat ik niet kan benoemen ontzettend gevoelig geworden, en daaronder verscholen voelen mijn tanden vreemd aan, en het is net of mijn tong in de weg zit.

Opnieuw dobbert mijn bed.

Ik wou dat het daarmee ophield.

Maar dit is geen probleem: in feite is het een oplossing, omdat ik het dobberen nu begrijp, het nare gevoel, het probleem met mijn ogen, de roest: ik ben niet lekker.

Ik ben niet lekker en in het buitenland.

Dus moet ik nadenken over de verzekering en of ik er wel een heb afgesloten en onder welke categorie ik zou kunnen vallen – nalatigheid, vergiftiging, infectie, overmacht – ik ben er niet helemaal zeker van wat op mij van toepassing is.

Ik wil niet naar de dokter.

Ik weet bijna zeker dat ik van een dokter gedroomd heb, eentje die me niet beviel. Of je nou slaapt of wakker bent, je kunt er nooit zeker van zijn of iemand echt dokter is, of zijn naalden schoon zijn, of noodzakelijk, of wat ze zeggen met je van plan te zijn wel veilig is. Dus doe ik het zonder.

Maar ik ben in een vreemd land en ik ben ziek.

Mijn benen plakken aan de lakens, merk ik, mijn hele

lichaam geeft te kennen dat ik oververhit ben, koortsig.

Een mooi woord, koortsig. Je zou nooit kunnen raden wat het betekende.

Ik dacht dat ik het koud had, maar blijkbaar is dat niet zo. De bezwete huid, het schijnt aantrekkelijk te zijn. Maar zo is het niet – hij wordt vlekkerig en streperig, maakt een schuwe en ongewassen indruk.

Zo zal de foto zijn die ze zullen gebruiken, post mortem – onsmakelijke gedeeltes onder zwarte balkjes – en er zal het vakantiekiekje zijn – dit is ze toen ze nog leefde – de ongewild schrijnende glimlach. De kranten zullen ze naast elkaar afdrukken voor het contrast. Of misschien kom ik niet verder dan het internet, ongecensureerd.

Hoe dan ook, ik heb geen vakantiekiekje. Die neem ik niet. Ik wil niets zien, en iemand anders ook niet.

Onder mijn hart wriemelt een soort druk en mijn mond vult zich met speeksel. Slikken is moeilijk en biedt geen verlichting, ik moet mijn lippen deppen en ik merk dat ze olieachtig en wat obsceen aanvoelen. Ik reik achter mijn hoofd en maak de randen wankel, de hoeken, de raaklijnen van plafond, muren en vloer. Ik grijp naar de knop van de airconditioner en draai eraan. Het mechanisme schokt en begint een geringe verstoring uit te malen in de donzige warmte boven mijn gezicht. Onwillekeurig stel ik me enorme wentelende raderen voor, verborgen achter de gipsplaten, die de ledematen van een of ander dier vermorzelen, natte plukken haar die druipend aan de tanden hangen.

Nee, stel je aangename dingen voor, vriendelijke dingen, vrolijke dingen, koel water, gemaaid gras.

Rijp. Rijp op een veld: een weiland, beter woord, weiland: en een klein bevroren riviertje onder bomen, welmenende bomen.

De stroom van mijn speeksel neemt af en het gewicht in mijn maag verplaatst zich, plagerig, maar komt dan tot rust, niet onverdraaglijk.

Ik zou op het riviertje kunnen liggen, me naakt uitstrekken, wang aan wang.

Ik heb een helder, troostrijk idee van bevroren water, de traag smeltende hobbels en vlakke plekken die zich naar mijn vormen voegen, en mijn paniek gaat liggen, neemt af, tot de notie van ijs de droom van vannacht weer oproept.

Ook daar was ik ziek: in een hotelkamer, een badkamer, de badkamer die ik nu heb: groezelig witte tegelmuren, afgeknotte kuip, alles hetzelfde. Moeizaam rechtop zittend in bad en de ijsschilfers die onder me wegzinken, die knerpen als ze verschuiven; als ik mijn handen omhoogbreng zitten ze onder de koude kristallen, bruinachtig roze.

De spiegel tegenover me lijkt te schommelen en te kantelen. Misschien heb ik hersenletsel opgelopen. Misschien hallucineer ik. Misschien ben ik überhaupt niet meer in staat om te zeggen wat het is.

Dan hou ik me stil en al het andere doet hetzelfde.

Iemand heeft me dit verteld, of ik heb het gelezen: het verhaal waarin je ontwaakt in een ijsbad, en ergens op een plek waar je het kunt zien, hangt een briefje dat je niet moet gaan staan, dat je het niet moet wagen, dat alles voorbij en afgelopen is, dat het geen zin heeft om in paniek te raken.

'Goedenavond. Service.'

Buiten op de gang frunnikt een loper in het slot.

Goedenavond, wat?

Luider, 'Goedenavond. Service', en de deur zwaait open en komt bijna meteen met een ruk tot stilstand. Ik heb het kettinkje erop gelaten – soms komt het goed uit als je een beetje een angsthaas bent op reis.

Maar hoe laat zou het zijn – ik bedoel de echte tijd? Hier zegt het personeel tegen iedereen die Engels spreekt hetzelfde, 's avonds en overdag. Het is hier altijd avond en de avond is altijd goed.

'Service.'

188

Straks ga ik nog ergens uit bloeden, als hij zo'n lawaai blijft maken.

'Kom later.' Opnieuw moet ik slikken. 'Maar terug.' Mijn stem klinkt mannelijk en gesmoord. 'Alstublieft.'

'Service. Goedenavond.' Opnieuw zwaait de deur behoedzaam open, maar komt niet verder.

Wat is trouwens in hemelsnaam 'Service'?

'Ik voel me niet goed. Kom morgen maar. Terug.' Mijn maag trekt een beetje samen, plagerig.

Hij zal toch zeker wel begrijpen wat 'morgen' is, in godsnaam.

'Ik nu kamer schoonmaken, alstublieft.' De stem is niet hardnekkig, alleen maar zeker van hoe de dingen gedaan moeten worden.

'Nee. U maakt morgen schoon. MOR-GEN.'

Mijn god, ik lijk wel een racist. Zoals ik naar hem schreeuw, die commanderende toon. Ik bedoel, ik heb respect voor andere culturen, ik doe mijn best, maar ik heb alleen deze ene taal maar, die niet volstaat, maar wat kan ik eruun doen. Ik wil vriendelijk klinken, dat is mijn vaste voornemen.

'Service. Ik vandaag schoonmaken.'

'O, ROT TOCH VERDOMME EENS OP!'

Jezus, het spijt me, het spijt me echt, eerlijk waar.

Er valt een gekwetste stilte waarin ik geen hoorbare excuses maak. *Ik heb immers ook niet om 'Service' gevraagd.* Dan deinst de deur terug, het slot klikt dicht, en ik voel niet de geringste opluchting, omdat er een stuip door mijn bovenlichaam trekt die me opnieuw het zweet doet uitbreken. Als ik niet voor ik uitadem in de badkamer ben, braak ik nog in mijn bed.

Grappig dat je altijd naar je moeder verlangt als je moet overgeven. Hoe dan ook.

Grappig.

En laat me het meteen goed doen – dat ik er in één keer vanaf ben, alsjeblieft. Alles eruit gooien.

Denk dan aan het briefje, die droom over dat briefje...

Je ziet jezelf, je huivert en je leest dat chirurgen allebei je nieren hebben weggenomen, ze hebben je verdoofd en het tweetal gestolen, en toen hebben ze je dichtgenaaid, leeg en stervend, en in bloedbesmeurd ijs gelegd. Je bent niet vermoord, je lichaam zal je doden: langzaam, omdat je gekoeld bent.

O, lieve god.

En dit werkt als een gemene bezwering, die meer dan alles schoonmaakt. Terwijl de laatste hoestkrampen door me heen trekken, beweeg ik mijn handen om mijn onveranderde rug te inspecteren. Ik ben nog intact.

Tim was er ook in mijn slaap. Ik herinner me nu dat ik hem om zag kijken, alsof ik geroepen had. Hij was verlegen en opgewonden, op de rand van een glimlach: zoals hij placht te zijn als hij afwachtte om te zien of ik wist dat hij iets verkeerds had gedaan: als hij wilde controleren of we het allebei fijn zouden vinden, het zouden toelaten.

Mijn keel voelt aan als schuurpapier. Maar de spasmes zijn verslapt en geweken: het lijkt wat beter te gaan.

Ik neem het laatste water uit de fles, spoel mijn mond ermee en nip ervan. *Let op dat je niet uitdroogt – het gaat sluipenderwijs.* Aan de andere kant van de ramen hoor ik het dunne, herhaalde schreeuwen van wat ik denk dat een vogel moet zijn, iets wat begerig en roofzuchtig is, dat opklinkt aan mijn linkerkant. Met gelijkmatige tred, alsof ik iets zou kunnen morsen, loop ik terug naar het wrak van mijn bed en ga behoedzaam liggen.

Tim zou in zijn element zijn geweest.

Niet dat Tim ziekte op zich verwelkomde, hij wilde alleen voor je zorgen. Daar hield hij van: ronddraven met aspirine, warmwaterkruiken, versnaperingen.

Dan zette hij zijn bril af en we zouden begrijpen dat ik precies genoeg was opgeknapt. Dan zette hij zijn bril af en legde hem naast de lamp, trok de dekens weg. Dan zette hij zijn bril af en knipperde, vrij om zijn hoofd omlaag te brengen, zijn slimme mond.

Ik adem tussen door mijn tanden door, probeer de herinnering van me af te zetten en niets te voelen. Dit is niet het moment om me te laten storen.

Soms deed ik alleen maar alsof, ging naar boven en trok de gordijnen dicht, kiplekker, en wachtte op zijn mond.

Dit is niet verstandig. Dit is niet het moment om na te denken.

Maar als Tim zelf ziek was, werd hij liever met rust gelaten – net als een kat, zei hij. Toen vond ik hem in de keuken op een vroege zondagochtend, en ik zei tegen hem dat hij geen griep had, dat het ernstig was, en toen kwam eindelijk de eerste dokter en praatte met me alsof ik een kind was, zei dat huisbezoek alleen voor noodgevallen was, maar later probeerde Tim te lopen en hij viel, en hij praatte, schreeuwde, tegen niemand, en ik liet een tweede dokter komen, terwijl de ambulance al onderweg was, omdat ik Tims uitslag nog eens beschreven had en hen aan het verstand had gebracht dat hij meningitis had en zou kunnen sterven.

Zou kunnen sterven.

Maar dat deed hij natuurlijk niet.

Ze schoren zijn hoofd en deden een trepanatie om de druk te verlichten. Ze boorden op drie plaatsen in zijn schedel en hij was met hen alleen terwijl ze het deden. Maar toen het voorbij was zat ik aan zijn bed en bleef met hem praten, noemde dagenlang zijn naam terwijl hij er roerloos bij lag. Ik bleef hem binnenroepen. Ik wist zeker dat hij niet zou gaan, dat hij me niet kon verlaten.

Toen hij thuiskwam, was hij dertien kilo afgevallen en had hij een zachte schaduw van nieuwe beharing op zijn schedel, verband en tape. En hij had een nieuwe huid: gretig en bleek en naakt, volkomen naakt. Ik kon hem niet zien zonder hem aan te

*raken. Eerst alleen met mijn mond, omdat dat teder was. Hij had
behoefte aan tederheid.*

Ik draai mijn hoofd om de telefoon te bestuderen; net als
de rest van de kamer gedraagt hij zich normaal. Ik zou hem
kunnen gebruiken om Tim te bellen. Maar het tijdsverschil,
en de andere verschillen – het zou allemaal te ingewikkeld
worden.

*Toen hij daar lag in zijn ziekenhuisbed beloofde ik hem van
alles, meer dan ik me kan herinneren, ik stopte alles wat we konden zijn in zijn stilte, in zijn slaap. Soms denk ik dat ik daardoor
sindsdien een anticlimax voor hem ben – geen van de dromen die
ik hem ingaf heb ik ooit waargemaakt – toen hij besloot te
ontwaken moest hij met minder genoegen nemen.*

Ik rol op mijn zij en laat de muren en het tapijt schommelen, mijn hoofd is plotseling ingepakt, in iets nats gevangen. Ik kokhals, stommel naar de badkamer en kokhals opnieuw.

Als ik kniel raak ik het toilet niet aan – *ik wil niet nog een
ziekte oplopen* – ik adem tussen de opkomende krampen – *O
jezus, o jezus christus toch* – en opnieuw wil ik mijn moeder bij
me hebben. *Kut.* Weer een serie spasmes. *O, verdomme toch.*

En er gebeurt niets, helemaal niets. In niet minder dan een
halfuur weet ik niet meer op te geven dan één slok bittere gal.
Wat het ook is, ik ben er nog niet vanaf.

Als ik terug op mijn bed zit, vouw ik dubbel, uit voorzorg,
omdat het plotseling brandt, en ik strek mijn hand uit naar
de telefoon. Op een heel onwerkelijke maar overtuigende
manier lijkt hij zowel mooier als degelijker dan eerst: een
onrustbarend fraaie, zware telefoon met een knop voor berichten – *óf ik heb er geen, óf het ding werkt niet* – een knop voor
de receptie, een met een symbool dat ik niet herken – *Joost
mag het weten* – en een met een miniatuurober die een
miniatuurdienblad draagt – *en dat betekent Roomservice. Niet*

'Service'. Roomservice – dat is wat ik nodig heb.

'Hallo, Roomservice? Ik heb water nodig. Alstublieft.' *Ik heb geen water meer.* 'Een grote fles; flessen. Ik wil twee grote flessen water.' *Zonder water kun je sterven.*

De lijn naar de Roomservice, waar die zich ook mag bevinden, kraakt en jengelt.

'De grootste die u hebt.'

Ik heb geen idee of ik te verstaan ben, of begrepen word. 'Ik voel me niet goed.' *Alsof dat hun wat kan schelen.* 'Sorry... Kunt u? – Pardon. Water. Water?'

Er moeten gasten zijn die dit kunnen, die het makkelijk vinden, die gewoon dingen kunnen bestellen. 'Sorry. Twee flessen. Alstublieft.' *Zonder ook maar één excuus te maken. Of alstublieft te zeggen.* 'Twee flessen... Hallo? Goedenavond?'

De verbinding valt weg, meedogenloos oncommunicatief, en wordt met een klein klikje verbroken.

Als de Roomservice niet komt opdagen, zal er geen water meer zijn. Ik heb water nodig. Als de Roomservice wel komt, zal er wel water zijn. Wat ik nodig heb. Maar dan zal ik me moeten aankleden en opstaan en de deur van het slot doen en mijn hand uitsteken en het water aannemen en drugen.

Ik weet niet of ik dat wel kan.

Zelfs als ik mijn ogen sluit golft er nu iets – het bloedlicht achter mijn oogleden, het is verraderlijk. Als Tim er was zou ik hem erover vertellen, of zou het verteld hebben, vóór de meningitis en de teleurstelling.

Er was die keer, die avond, een doordeweekse avond, toen ik bij hem binnenliep en zag hoe zijn gezicht zich sloot, hoe alles naar neutraal verschoot, naar een kilte, alleen omdat ik er was. Ik had hem verrast zoals hij vroeger was, maar dat was voor mij niet meer weggelegd, dus stopte hij het weg.

We besteden meer tijd aan ons werk, vaak is hij 's avonds weg, het verrast me nu als we elkaar tegenkomen in huis; ik stap een stille kamer binnen en daar is hij. Ik probeer geërgerd te kijken en ga van huis voor hij het doet. We gaan apart op vakantie.

Ik maak mezelf plat op het laken, druk steeds weer mijn voorhoofd tegen de krakende matras, alsof ik daarmee ook maar één vergissing ongedaan zou kunnen maken. Omdat ik niet geschreeuwd heb, hem niet bij zijn arm heb gegrepen en in zijn gezicht geschreeuwd, omdat ik niet met een klok heb gegooid waaraan ik gehecht was en niet verdrietig ben geweest om te zien dat hij aan diggelen lag, ook niet om te zien hoe hij doorliep en zonder een kik de kamer verliet – geen van die dingen heb ik gedaan, tot het alleen nog maar dom en te laat was. Door zo'n infectie van de hersenen, vertelden de artsen me, kon hij veranderen en dus deed ik mezelf geweld aan en was maandenlang stuurloos, liet hem met rust, liet me verlaten door wat ik van hem kende.

Behalve als dat licht opnieuw op zijn huid ligt, die naaktheid. Niet om te praten, niet om elkaar te zien – alleen om zijn mond te verwelkomen, om mijn handen te verstrengelen achter de nieuwe stekeltjes in zijn nek, om te weten dat we kunnen proeven wat niet is veranderd.

'Roomservice, goedenavond.'

Van de deur komt een onregelmatige serie klopjes en ik zit gevangen in de kille herinnering aan een echtgenoot die op me ligt en met wie ik niet kan praten, twee dode gewichten die op adem komen, die zichzelf, hun verdriet en hun schaamte hervinden.

'Roomservice, goedenavond.'

'Ja.' Ik ben nog naakt. 'Ja. Goedenavond.' En ik wil niet bewegen. 'Zet het maar bij de deur.' Ik wil niemand in mijn buurt hebben.

'U wilt...?' Het is niet de man die wilde schoonmaken, ik geloof dat ik die stem wel zou herkennen.

'Ik zei, zet het maar bij de deur.' *En als ik klink als een koloniale onderdrukker, dan kan het me niks schelen.* 'IK KAN NU NIET OPSTAAN. ZET MAAR NEER.'

'Goedenavond. Dank u wel.' Dit klinkt een tikje beledigd, maar een gedempt gerammel geeft me reden tot hoop.

Ik zal opstaan, ik zal mezelf in het laken wikkelen en doen wat ik moet doen om aan mijn water te komen.

Als mijn hand de kinderhuid vindt onder aan zijn rug, daar wacht ik altijd op.

Mijn schedel prikt, alsof er iemand achter me staat, of boven me, en de insecten blijven zeuren, en ik richt mezelf op en ga zitten, dan sta ik op. Mijn evenwicht wordt wankel, komt dan weer tot rust, en ik trek het laken naar me toe en bedek me, schuifel naar de deur.

Het slot brengt me even in de war, maar niet meer dan dat, ik doe open, leun de hele lege gang in, gris naar de twee flessen, pak ze op en loop half struikelend terug. De inspanning klopt na in mijn hoofd. Maar toch, ik heb mijn water – dat is goed.

'Goedenavond. Goedenavond? Roomservice?'

De lijn is nog een beetje slechter dan daarstraks, alsof hij heeft voorzien dat ik zou bellen en nu al blijk geeft van zijn afkeur.

'Ja. Ik had water besteld. Twee flessen water en u hebt ze laten bezorgen.' Als er al iemand luistert, laat hij zich niet horen. 'Iemand heeft ze bezorgd...' *Dit is te ingewikkeld.* 'Iemand heeft ze bezorgd en ik heb ze, maar de zegels zijn verbroken...' Ik wacht op een onderbreking of iets dergelijks, maar er gebeurt niets: ik zal het helemaal zelf moeten zeggen. 'Als de verzegeling verbroken is... per ongeluk.' *Er is geen reden om iemand te beschuldigen – het lijkt alsof ik dat doe, maar zo bedoel ik het niet echt.* 'Ik kan niet drinken. Ik ben ziek. De hele dag al. Ik heb schoon water nodig.'

'Ons water is schoon.'

'Ik...' *Verdomme.* 'Luister, ik betaal voor nieuwe flessen, maar als de verzegeling...'

'Ik laat nieuwe sturen.' De verre hoorn wordt opgelegd. Dus zal ik klaar moeten zijn voor als hij aankomt.

Verdomme.

Ik verroer me om naar mijn spijkerbroek te kijken die gekreukeld op de stoel ligt, enigszins verbijsterend, en ik pak hem op, waarbij zinloze muntjes uit de zakken vallen, en gekreukte vuile bankbiljetten. Ik zoek methodisch mijn evenwicht, doe een stap, aarzel, en wurm mezelf erin. Het T-shirt is gemakkelijker. Daarna blijf ik op de stoel zitten wachten, laat mijn adem rustig worden, ontwijk iedere gedachte aan de handen van Tim, aan hoe ze kunnen zijn, zelfverzekerd met sluitingen, met het wegglijden van stof.

Sneller dat ik verwacht had wordt er aangeklopt.

'U hebt een probleem.' Hij zal een jaar of zeventien zijn, verloren in een te groot uitgevallen uniform dat een imposante indruk lijkt te moeten geven: zwarte broek met omslag, een paars jasje met gouden biezen, lakleren schoenen met vouwen erin. 'Er is iets niet naar wens.' Al zijn uitlatingen klinken kritisch en precies, een beetje bits om te benadrukken dat hij mijn taal begrijpt, terwijl ik in de zijne met mijn mond vol tanden zou staan.

Ik zal me er later wel voor verontschuldigen dat ik Britse ben.

'Ik, uh, ja. De zegels...' *Dit klinkt zo kleinzielig.* 'U kunt er ongetwijfeld niets aan doen, misschien is het uw leverancier...' *Zijn mouwen zijn omgeslagen om ze passend te maken – en hij ziet dat ik het heb opgemerkt.*

Hij zet de twee nieuwe flessen water op tafel en pakt de oude op, onwillig om zijn nederlaag te erkennen. 'De zegels...?' Hij draait voorzichtig aan de doppen en wacht af, waarbij hij misprijzend zijn blik laat rondgaan en duidelijk maakt dat hij me niet mag, het omgewoelde bed, de rommelige kamer, de aanwijzingen voor een diepere wanorde.

Ik probeer mijn stem ferm te laten klinken. 'Ze zijn niet meer verzegeld, zoals u kunt zien.' *Ik had ondergoed aan moeten trekken – dan had ik misschien enig overwicht gehad.* 'Dat was alles.'

'Het ligt aan de leverancier. Het spijt me zeer.' Gezegd op onoprechte, lijzige toon.

Ik moet snel weer gaan zitten. 'Zo is het in orde.' De jongeman maakt geen aanstalten om te vertrekken.

Ik ga hem toch echt geen fooi geven – behalve als ik hem ermee weg kan krijgen.

Zijn handen beven zichtbaar. Ik vermoed dat hij bang is, woedend of bang, misschien allebei.

'Dank u wel. Ik zal tegen de manager zeggen dat u me geholpen hebt. Goedenavond.' Ik probeer te glimlachen, maar hij negeert het en vertrekt met een scherp 'Goedemiddag'.

Misschien kost ik hem zijn baan.

Of misschien loopt bij Roomservice iedereen de hele dag flessen te vullen uit de kraan, uit stilstaande plassen, uit de wonden van hedelaars, hoe moet ik het weten. Wij hebben hen laten lijden, dus waarom niet? Waarschijnlijk verdien ik in een week wat hij in een heel jaar verdient.

Maar het kan me niet schelen. Ze vallen geen van allen onder mijn directe verantwoordelijkheid.

De nieuwe zegels zijn in orde, het eerste komt los met een geruststellend plofje, waarna ik eindelijk kan drinken. Het water smaakt een beetje naar kalk en is lauw. Ik laat een paar druppels in de holte van mijn handpalm lopen en wis mijn gezicht af.

*Volgend jaar ga ik op vakantie in Europa, in Groot-Brittannië:
dan word ik tenminste dicht bij huis vergiftigd. Tim gaat nooit ver
weg: een lang weekend in Antrim, het Lake District, een paar
dagen op Argyll, de Orkneys. Hij komt altijd vrolijk terug.
Omdat ik er niet bij was.
Maar als hij vrolijk is – het is op zulke momenten dat hij iets
verkeerds doet.*

Ik blijf drinken, waarschijnlijk te veel.

*Lippen op lippen terwijl ik zijn haar streel, zijn adem op me
voel, slik als hij slikt. Zijn slimme mond, die de opening altijd
dieper maakt, haar verwijdt, die het weke weker maakt. En dan
kijkt hij op, tilt zijn hoofd op: Tim, schaapachtig en opgewonden,
op de rand van een glimlach. Vroeger was deze korte blik voldoende om me gelukkig te maken en hem te laten begaan. Nu laat
die blik me weten dat dit slecht en lekker is omdat we vreemden
zijn voor elkaar.*

Als de telefoon overgaat, slik ik een mondvol speeksel weg
en hoest.

Alleen Tim weet dat ik hier ben.

'Hallo?'

'Goedenavond. Verblijft u alleen op uw kamer?' Het is een
hotelstem, een vreemdeling. 'Bent u alleen daar?'

'Ben ik wát?' Ik ben me bewust van het vloeibare gewicht
dat ik tot me genomen heb.

'Een kamer alleen, dat is waar u voor betaald hebt.'

'Ja. Alleen. Ja.'

Hier heb ik nu geen zin in – waar het ook over mag gaan.

'U laat ons personeel uw kamer niet schoonmaken. U bent
de hele dag binnen gebleven, zonder één keer naar buiten te
gaan. Nu hebt u twee flessen water. Maar deze kamer is
gereserveerd voor één persoon.'

'Hoor eens, wat probeert u...? Ik ben ziek geweest. Ziek.'

Roomservice – ze zetten het me betaald.

'Ik heb veel water nodig.' Er valt een sceptische stilte. 'U kunt de boel komen doorzoeken als u daar zin in hebt.' En nog een. 'Twee flessen wil nog niet zeggen dat er twee mensen zijn. Ik bedoel, als ik met iemand in hetzelfde bed lag, zou ik de fles wel delen, verdomme.'

Dit is blijkbaar een hoogst onbehoorlijke suggestie. 'Ik moet u vragen of u alleen bent, dat is alles. Dit is mijn werk.'

'Geweldig, u hebt uw plicht gedaan. *Goedenavond.*'

Ik hang op voor ze iets terug kunnen zeggen.

En krijg de schurft. Een kamer alleen. Wat anders.

Dan word ik overmand door een golf van misselijkheid die me dubbel doet vouwen. Armen, benen, alles wordt glibberig, trekt samen bij iedere kramp, en ik denk niet dat ik kan lopen en ik heb gelijk, maar ik wankel en struikel naar de badkamer, de koelere lucht, de opgave om me ervan te bevrijden.

Het duurt even.

En dan is er iets veranderd. De stilte is indringender. Mijn lippen zijn gevoelig, ik voel me licht in mijn hoofd, maar ik weet dat ik niet meer hoef over te geven.

Ik heb blijkbaar de trigger gevonden.

Sommige gedachten kun je maar beter laten rusten en ik sluit mezelf er iedere dag voor af. Het gebeurt niet vaak dat ze van pas komen.

Maar vandaag waren ze precies wat ik nodig had.

Dus liet ik die ochtend komen toen ik het rook aan zijn handen en deed alsof ik het niet merkte, dacht dat ik me vergiste, tot het er weer was op een avond, daar op zijn gezicht, zijn mond, zijn lippen: de geur van een vreemde, van een andere vrouw, van een kut. Tim, hij merkte het toen ik terugdeinsde, en hij maakte er een punt van om me opnieuw te kussen, alsof hij wilde dat ik er zeker van was dat hij iets verkeerds gedaan had.

En ik wist het zeker genoeg om het me voor te stellen, zoals hij omhoogkeek, vrolijk betrapt, voor hij zich terug naar binnen tongde.

En ik wist dat hij me niet zou verlaten en dat ik hem niet kon verlaten.

Ik weet het nog steeds, zoals ik ook mijn naam weet: roepnaam, tweede naam, gehuwd. Nu we vreemden zijn voor elkaar, hebben we behoefte aan elkaars gezelschap. Dat zal niet veranderen. En, meer dan van de ontrouw, word ik er beroerd van. Ik word er beroerd van.

Ik was mijn gezicht met water uit de fles en ik sta op. De kamer is de kamer en ik ben mezelf. Er is niets veranderd.

EEN BEETJE ALS LICHT

Je moet geen mens iets vertellen, vooral niet over de liefde.

Anders zal er steeds weer iemand zijn die zonodig vragen moet stellen, over jezelf, over de liefde, over je geliefde, en je zult net zo eindigen als ik – altijd moet je antwoord geven.

Inmiddels weet ik natuurlijk hoe het moet, dat is het probleem niet. Ik haal mijn schouders op, ik zwaai met mijn handen – soms maar met één hand – ik schud mijn hoofd, of ik kom met die kleine manoeuvre waarbij ik mijn kin optrek en heel lichtjes met mijn ogen rol. Zo krijg ik de lachers op mijn hand, en ik zal waarschijnlijk glimlachen, toegeeflijk, en nooit zal ik zeggen: *Ik ben een zieke man – u zou niet moeten lachen. Ik ben heel ernstig ziek. Waarschijnlijk heb ik diabetes, het moet haast wel diabetes zijn. Mijn huidige huisarts is het, net als alle anderen, niet met me eens, maar ik weet het gewoon – ik kan u verzekeren dat ik onmiskenbaar diabetes heb, en leukemie bovendien, en die aandoening waarbij de botmassa in je benen afneemt – misschien ook nog op andere plaatsen – iedere dag boort zich een nieuwe fragiliteit in mijn bekken, een toenemende onzekerheid als ik loop, en ik ben bang dat er iets zal verpulveren als ik me omdraai in mijn slaap. Het kan me niet schelen wat anderen zeggen, het gaat echt heel erg slecht met me, ik zou me nooit zo kunnen voelen als ik gezond was. En u zit daar te lachen en ik ben hier, bang dat ik 's nachts zal fragmenteren, en mijn impotentie zou bij dit alles volkomen in het niet moeten zinken, maar zo gaat het in feite niet. Feitelijk is het niet zo. En geen van deze dingen gaat iemand iets aan, alleen mijzelf, net als met mijn liefde.*

Ik ben jong getrouwd – vierentwintig – en ik ben altijd gehuwd gebleven. Nu ben ik drieënveertig. Na tien jaar huwelijk, toen de noodzakelijke instrumenten nog werkten, verwekte ik mijn zoon. We hebben hem Malcolm John genoemd en ik heet John Edward en op die manier zijn de namen van onze respectieve vaders een tandje teruggeschoten om een ondergeschikte rol te spelen, hoogstwaarschijnlijk voor de duur van twee nieuwe levens.

Overigens heb ik ooit overwogen om mijn John te laten vallen ten gunste van de nieuwe ervaring een Ted te zijn. Mijn vader heeft het altijd bij Edward gehouden, dus verwarring zou het niet hebben opgeleverd. Ik weet niet waarom ik het niet gedaan heb: een soort plankenkoorts vermoed ik, een tegenzin om weer helemaal opnieuw te falen in een andere rol.

Malcolm, mijn zoontje Mal, ik kan me niet voorstellen dat hij dergelijke fantasieën koestert – hij denkt dat ik hem niet mag. Wat nog waar is ook, ik mag hem niet. Ik ben bang dat het nogal moeilijk is om van hem te houden. Wat temperament betreft valt er best met hem te leven – niet echt snugger, maar ook niet al te dom, hij gaat om met leeftijdsgenoten – alleen heeft hij iets wat ik fysiek afstotelijk vind. Hij is niet echt onhandig, maar het heeft er de schijn van dat hij het zal worden, hij is niet echt vuil, hij maakt slechts een ongewassen indruk, zijn kleren zitten niet echt in de kreukels, hij heeft alleen een slonzig postuur. Eigenlijk is hij een hopeloos geval. Toen hij nog een baby was, met het gebruikelijke gemurmel van dons op een warme, vertederende huid, bedrieglijk vol leven en kleine adertjes, was hij tegelijk in zekere zin walgelijk om aan te raken, hij heeft altijd iets *plakkerigs* gehad. Sommige kinderen zijn geboren atleten, of ze hebben aanleg voor wiskunde. Malcolm is voorbestemd om een beetje ongelukkig te zijn.

Dat is ook de reden waarom we veel samen optrekken. In het weekend fietsen we over de speelterreinen, we gaan naar de film, ik heb hem leren vangen, fluiten en zelfs een beetje zwemmen, of wat ervoor doorgaat. Maar dan kijkt hij me aan, houdt me staande met een blik van tussen de bomen bij de verspringbaan, of met rode ogen ademloos glinsterend in het zwembad, en dan stop ik met huichelen, en we weten het allebei: we hebben geen plezier. Geen van onze pleziertjes is leuk: we zijn niet genoeg voor elkaar. We zijn de enige echte vrienden die we hebben maar als koppel zijn we een voortdurende wederzijdse teleurstelling, regelmatig ten prooi aan van die treurige korte pauzes voor bezinning. Waarna we elkaar omhelzen en een tijdje elkaars hand vasthouden, want we hebben echt medelijden met elkaar, maar gedeelde sympathie is nog geen vriendschap. Dan beginnen we opnieuw met wat we moeten doen: vader en zoon zijn.

Ik denk dat Mal, naast al het andere, niet genoeg zonlicht gezien heeft toen hij nog klein was. Ons huis, het enige dat hij ooit gekend heeft, is ingeklemd tussen het hoogste deel van de muur om de school en de hoogste, oostelijke rand van wat ons huidige hoofd graag de façade noemt. Op een heldere zomerdag valt door een paar van onze ramen voor een uur of drie wat direct licht bij ons binnen, wat volstaat voor mijn bloembakken op de vensterbank buiten, maar voor een jongen moet het onvoldoende zijn. We hebben geen tuin en buiten spelen moest meestal 's avonds gebeuren als de lessen voorbij waren en de leerlingen naar huis. Hij is nog steeds op zijn best in de late schaduwval, de geruisloos laaiende gloed waarmee de dag ten einde komt.

En de gebouwen staan in een bed van gravel, ook dat is een nadeel – generaties kinderen zijn hier vertrokken met granietdeeltjes die zich voor eeuwig in hun handpalmen en knieën genesteld hebben. Met mijn zoon is het al net zo, kleine stukjes huid glinsteren van het jodium dat op verse korsten is gesmeerd. Nu ik bang ben dat de hals van mijn dijbenen onverhoeds zou kunnen breken waardoor ik ten val zou komen, brengen we zo veel mogelijk tijd door op de sportvelden. We voelen ons rustiger als we zachte valpartijen op gras tegemoet kunnen zien.

Ook als ik werk maak ik me minder zorgen om mijn gezondheid, hoewel ik heel wat afloop op mijn werk. Maar als ik in functie ben, heb ik mijn uniform: de glanzende schoenen, de sleutelbossen, de pet met de klep en de doordringende blik: het gebruikelijke ensemble van de ongenaakbare beveiligingsman, de gevangenbewaarder – en van de conciërge. Ik kan me niet voorstellen dat me ooit iets zou overkomen als ik zo ben uitgedost, het zou een schending van het natuurrecht zijn.

In feite heeft zich maar één tegenslag voorgedaan in meer dan twintig jaar dienst: de enormiteit ervan is me altijd blijven verbazen. Ik kijk naar mijn vrouw, werp steelse blikken op haar als ze bezig is, of als ze een tijdschrift leest, of slaapt, en ik denk: *dit is het soort vrouw dat met een conciërge trouwt.*

Ze is getrouwd met een conciërge. Maar ik ben het soort man dat zich nooit een conciërge gevoeld heeft. Ik ben de verkeerde man voor dit werk. Ik ben conciërge gebleven bij gebrek aan beter, terwijl ik wachtte tot ik zou ontdekken wat ik echt hoorde te doen. Ik ben waarnemend conciërge – jazeker, eentje met vele jaren dienstervaring, maar toch – dit moet haast wel betekenen dat ik ook een waarnemend echtgenoot ben.

Ze heeft bij elkaar passende parka's voor ons gekocht in de uitverkoop van afgelopen januari. Ze zitten fantastisch en ze zijn warm en ooit zijn ze duur geweest, maar ze passen bij elkaar en het blijven parka's – blauw met paarse blokken op de schouders en overbodige geweven lipjes aan de ritsen:

een borstmaat 44 voor mij en een 40 voor haar. Vroeger had ze een kleinere maat, overal kleiner. En daar gaan we, op een zaterdag, inkopen doen – de conciërge en zijn wederhelft in hun bij elkaar passende parka's. Dat kan niet goed zijn.

Ik bedoel, ik vind het niet echt erg om de rol van conciërge te moeten spelen. In en om het huis verzorg ik het schilderwerk en de bloembakken zoals de chef van een plattelandsstation zou kunnen doen. Ik vermoedde dat dit van me verwacht werd en het heeft inderdaad de goedkeuring kunnen wegdragen van drie opeenvolgende schoolhoofden. Mijn bollen en geraniums doen het uitstekend en ik hoef maar zelden peuken uit de bakken te vissen, want ik hou de wind eronder bij de schoolbevolking. Onder vier- tot twaalfjarigen – tot die leeftijd nemen we ze aan – ben ik een onomstreden koning. Het enige opschrift dat ik niet laat verwijderen op het jongenstoilet is een kriebelig zinnetje in vlekkerig balpenschrift waarin voor mij wordt gewaarschuwd. En ik heb het niet zelf opgeschreven.

Ik heb dus geen hekel aan de rol, niet echt, het is alleen dat de rol van conciërge onderhand bijna het enige is dat er nog van me over is. Daar maak ik bezwaar tegen: mijn ongewenste ik, het einde van mijn werkdag als ik me snel naar huis rep – het is niet bepaald ver – en mijn Doc Martens uittrek, als ik op zachte, warme voeten regelrecht het type huiselijk geluk binnenstap dat erop is ingericht om het een conciërge naar de zin te maken, de conciërge die ik niet ben. Een plakkerige jongen, een donker huis, een vrouw die sterk naar zweet kan ruiken, maar kruidig als het vers is, zoiets als de nageur van gekneusde muntblaadjes, wat vreemd is, maar ook geruststellend en vertrouwd – alleen niet voor mij. Geruststellend en vertrouwd, dat is geen liefde.

Vroeger neukte ik haar met mijn uniform aan. Dat heeft een paar jaar gewerkt – één keer per maand of zo. Het betekende dat ik de aangename kanten van mijn plichten kon verenigen met de gebieden waar het misliep, waar zich verontrustende draden en structuren ontwikkelden, als een schimmel die zich omhoog vrat in mijn toekomst. Ze vond het wel lekker, geloof ik, de uniformseks. Mijn knopen waren het beste – het bijten van de kou als ze mijn jasje stevig tegen haar huid klemde en de manier waarop ze knipoogden in het duister van de keuken, of het duister om het even waar in huis ze me te pakken kreeg. Het zo te doen wekte de suggestie van zonderlinge machtsverhoudingen. Dat vonden we allebei prettig.

Maar we waren het niet eens over mijn broek. Ik had hem het liefst halverwege, waarmee ik voeding gaf aan de langstlopende fantasie die ik ooit gehad heb: eentje waarin ik plotseling ontmaskerd word door een bewonderende, anonieme meute, terwijl de bleke kracht van mijn achterwerk manhaftig door blijft rammen in de vrije ruimte tussen een paar bevende gebogen benen. Ik zie er het beste uit van achteren – absoluut niet als een invalide.

Mijn vrouw zag me liever aanmarcheren en de noodzakelijke voorbereidingen treffen met alleen mijn gulp maar open, zodat ze het volle genot zou hebben van het donkerblauwe serge, bij wijze van spreken. Maar dat voelde aan alsof ik haar probeerde te naaien vanuit een zuilbrievenbus, en mijn gulp begon vrijwel onmiddellijk te spannen en in de aanzet van mijn pik te zagen – soms in stereo – en ten slotte, als ik het toch nog had klaargespeeld, zat ik meestal opgescheept met vlekken die verwijderd moesten worden voor ik de kinderen buiten weer onder ogen kon komen.

En na een paar keer discussiëren deden mijn vrouw en ik wat getrouwde stellen doen in zo'n geval, een compromis sluiten, ruwweg om beurten namen we het op ons om meer of minder ontevreden te zijn. En de komst van Mal maakte sowieso een eind aan ons dilemma. Hoewel ik het nog een tijdje geprobeerd heb met mijn pet op in bed, ook naderhand nog. Ik wilde me gewillig tonen.

Maar toen ik nog optrad als de gekostumeerde verkrachter, waren er soms middagen en avonden dat ik me realiseerde, als ik mijn ronde deed over het schoolterrein, dat ik nog steeds naar neuken rook. Niet obsceen of onaangenaam – eerder een lichte hitte in de lucht als ik naar voren leunde, de vage smaak van iets elektrisch onder mijn adem.

Ik ben er absoluut zeker van dat ik daardoor de schoonmaaksters voor me innam. De twee jonge gastjes die technisch onder mijn verantwoordelijkheid vielen, werden vrijwel dagelijks geplaagd en getreiterd, maar tegen mij zijn onze dames alleen maar voorkomend geweest, alsof de licht bedrukte stemming die ik soms met me meedroeg hen ingaf dat ik waarschijnlijk moe was, of het verdiende om verwend te worden. Dus zetten ze thee voor me, vergastten me op eigen baksel, lieten me hun kranten en tijdschriften lezen. In ruil daarvoor mochten er een paar in mijn hok zitten, zodat ze er rustig een konden opsteken in de pauze.

Jean behoorde niet tot de rooksters, maar ook zij kwam af en toe langs. Een schat van een vrouw, Jean, echt een heel keurig iemand. Toen iedereen te horen kreeg wat de bepalingen van de private aanbesteding waren – de schamele beloning, de idiote werkuren – huilde ze aan één stuk door, tot het tijd was om naar huis te gaan. Ik moest haar mijn leunstoel afstaan en de deur dichtdoen. Vreselijk.

Nu maakt ze bijna net zo slecht schoon als alle anderen, maar er zijn avonden waarop ze de geest krijgt, en plotseling ligt de vloer van een gang er perfect bij – niet met een smal glanzend pad dat tussen de smeerboel is aangedweild – schoon van muur tot muur, op de oude manier. Of de kranen fonkelen en de wasbakken glimmen, of een klaslokaal maakt een warme en verzorgde indruk, alsof er iemand echt gemotiveerd was. Ik heb haar een doos chocolaatjes gegeven, de Kerstmis na de nieuwe contracten, en ze bloosde. Dus nu doe ik dat ieder jaar. Het is niet eens zozeer vanwege het blozen, maar omdat ze waarschijnlijk net zomin op haar plaats is in haar leven als ik in dat van mij. Mensen die niet op hun plaats zijn moeten elkaar herkennen en aardig zijn voor elkaar. Als je geen liefde kunt krijgen, kun je tenminste soms een beetje vriendelijkheid ervaren.

Op een keer heb ik haar bijna verteld wat er gebeurd is – waarom ik deze man ben en niet mezelf. Maar mensen denken vaak dat het verhaal grappig bedoeld is terwijl dat niet zo is, dus ben ik naar huis gegaan en heb het in plaats daarvan aan Malcolm verteld. Het was niet mijn bedoeling, maar we zaten gevangen in een van onze stiltes en ik kon er een gat mee vullen.

Ik ben aangereden door een fietser. Niet door iemand op een motorfiets – een fietser: het soort fietser met een blikkerige bel, een fietspomp en pedalen. Wat bespottelijk is, dat zie ik zelf ook wel in. Zoals ik al zei leef ik al drieënveertig jaar, en nog nooit ben ik iemand tegengekomen die op klaarlichte dag is aangereden door een fietser: ze zijn niet lastig op te merken, het is niet zo heel moeilijk om voor ze opzij te gaan, iedereen beschouwt ze als volkomen ongevaarlijk. Maar ik, ik ben erdoor aangereden en in het ziekenhuis beland. Ik had een schedelbreuk, een ontwrichte schouder en nog een paar kleine dingetjes die minder ernstig waren, maar de hele toestand heeft me veel tijd gekost, juist toen ik moest studeren voor mijn eerste echte examens.

Uiteindelijk heb ik herexamen gedaan. Ik bracht het er niet goed af en later wilde ik het, zonder goede reden, niet meer proberen. Mijn moeder – die schoonmaakte in een ziekenhuis, niet in een school – had me een grootse bestemming

toegedacht, en mijn vader en ik, geen van tweeën kostwin-
ner, hadden haar geloofd. We geloofden het graag. Maar
nadat ik gewond was geraakt door die fiets kon ik mijn
rooskleurige verwachtingen niet meer terugvinden. Achter
in het lokaal zat ik humeurig de les uit en verdreef de tijd tot
het einde zich aandiende in de vorm van een echo in mijn
hoofd. Wat er ook in mijn hersens mocht zijn misgegaan, ik
hield er de neiging aan over om alles wat ik hoorde te veranderen – dat is zo gebleven tot ik in de twintig was. Als ik
me concentreerde, werden de geluiden onvast, wankelden
en stortten voorover in stuiterende herhalingen, alsof ze van
mijn persoonlijke klif tuimelden, en iedere keer als dit gebeurde, was mijn eenzame – ook echoënde – gedachte: *mijn
talent, mijn enige talent, dit heeft het moeten zijn – het magische
vermogen om ieder geluid te veranderen in iets wat je zou kunnen
horen in het binnenste van een hammondorgel.* Ik noemde het
misschien geen hammondorgel, maar dat is wel wat ik bedoelde.

Dus kwam ik van school met juist voldoende kwalificaties
om conciërge te worden: eerst hulp- en later hoofdconcierge.
Toen ik dit aan Malcolm vertelde, sloot ik af met: *Kwam dat
even goed uit! – Ik kreeg een pet om op te zetten,* zonder erbij te
zeggen: *Met die pet op neukte ik vroeger je moeder, toen ik hem
nog omhoog kon krijgen – je moeder, het eerste meisje dat ik leerde
kennen dat zei dat ze met me wilde trouwen – ik wist heel zeker
dat er niemand anders zou komen, dus heb ik ook niet gezocht.*

*En trouwens, dat ongeluk is de reden dat ik geen fysicus ben, of
duiker, of een fantastische goochelaar: daarom ben ik zoals ik ben
en jij zoals jij bent. En waarom werd ik sowieso aangereden door
die fiets? Omdat ik aan de voet van een heuvel stond te dromen,
kun je het je voorstellen, over de honderden dingen die ik zou
kunnen doen als ik was afgestudeerd aan de universiteit. Met een
speciale graad van Oxford, St. Andrews of Aberdeen, ik had het*

211

tot in detail uitgedacht. Toen kwamen de ironie en de fiets.

Malcolm vroeg of met de fietser alles in orde was. Hij heeft een edelmoedig karakter, Mal. Ik heb hem verteld dat de man een helm droeg, en dat hem dus niets mankeerde. *Daarom dragen we helmen, omdat ze ons beschermen.* Misschien moet ik de mijne in bed dragen.

Niet dat ik nog zoveel fiets als ik gewoon was, vanwege mijn ziektes.

Na het verhaal was het tijd voor Mal om naar bed te gaan. Toen hij eenmaal onder de wol lag, liep ik naar hem toe en wenste hem welterusten, daarna bleef ik boven aan de trap zitten terwijl de avond langzaam vorderde tot het ook voor mij en mijn vrouw bedtijd was. Wat niet zo geweldig is. Mijn onvermogen om de echtelijke verplichtingen na te komen is een bron van spanning geworden. Ze heeft me gezegd dat ik naar de dokter moet; soms gaat ze tegen me tekeer, of ik tegen haar, maar meestal zorgen we dat er voldoende ruimte zit tussen het tijdstip waarop ieder van ons tussen de lakens schuift en dat we snel wegzakken in een geveinsde of oprechte slaap.

Ik drukte mijn ruggengraat tegen de rand van de hoogste trede en concentreerde me op het trappenhuis, stelde het me voor als het zwart van een diepe poel. Het is troostrijk om aan water te denken, opgestuwd tot een zachte kolom die privé zou kunnen zijn en mij zou kunnen bevatten, een indruk van warme rotsen eromheen, van de zon en van levende, zorgeloze lucht.

Toen ik Elizabeth voor het eerst zag, deed ik ongeveer hetzelfde. Mijn armen hingen over de trapleuning, een gering gewicht, en ik staarde blind van de derde verdieping omlaag naar de begane grond en naar de klassen van de kleintjes. Toen was ze er.

En het zou niet moeten kunnen dat er zo veel aandacht uit

je wordt opgeschept door de welving van iemands schouders, de bovenkant van haar schedel, het geluid van haar voetstappen, terwijl de maartzon vanachter een smerig raam op het zuiden traag over de vorm en de glans van haar kapsel strijkt. Toen ze eindelijk hoog genoeg was om me haar gezicht te tonen, had ik meer dan een minuut ingeademd. Ze glimlachte naar me zoals vriendelijke mensen doen als ze een onschuldige vreemdeling passeren. Met mijn borst vol lucht probeerde ik mijn lichaam van de leuning af te wenden, maar ik stond als vastgenageld, met stekende longen. Ze liep zachtjes achter me langs en ging door de branddeur de gang van de bovenste verdieping op. Ik kon zelfs mijn hoofd niet draaien.

In het licht van het trappenhuis wervelde het stof in sluiers en arabesken.

Ik ademde uit.

Elizabeth Harrison, de permanente vervangster voor groep 5b, de gelukkigste klas sinds de schepping der aarde. Haar voorgangster, de manische Mrs. Winters, was afgegleden van twee naar drie dagen ziek in de week en was uiteindelijk volkomen uit beeld verdwenen. Dit maakt haar direct verantwoordelijk voor het feit dat ik op een lenteochtend met stomheid geslagen was bij de aanblik van Elizabeth Harrison, die er op haar beurt volledig aansprakelijk voor is dat dit zo is gebleven.

De rest van die ochtend kon ik er geen einde aan maken, aan de ontsteltenis, aan de dwaze, hete aanvallen van verlangen...

Als ik in haar lokaal kijk als ze eenmaal weg is, zal ik...

Nou, wat zou ik daar dan vinden?

Uiteindelijk zal ik iets vinden. In ieder geval zal het lokaal naar haar ruiken – haar lokaal, dat spreekt vanzelf, is perfect onderhouden. Ik kan haar 's morgens brieven brengen van het kantoor,

de ramen controleren, vragen of ze haar draai al gevonden heeft.
Haar vertellen dat ze water uit de fles moet drinken, wat er hier
uit de kraan komt is afschuwelijk: slechte leidingen, ik heb het
keer op keer gemeld.

Nee. Ik zal niet in haar lokaal kijken. Haar lokaal is in een
gebouw dat maar elf meter van het huis van mijn vrouw en mijn
zoon staat. Dat tevens mijn huis is.

Maar ik wil het niet.

Ik wil niet in haar lokaal kijken.

Ik zal haar mijn toverkunsten laten zien. Ik zal een tovenaar
voor haar zijn, liever geef ik haar dat.

Goochelen: dat is nog een interesse die ik niet deel met
mijn gezin. Maar handig op school. Ons huidige hoofd is er
geen voorstander van, maar vroeger heb ik voorstellingen
gegeven voor de hoogste klassen: onderhoudend en goed
voor de mythe van mijn beroepsmatige omnipotentie. Ik heb
het mezelf geleerd; de meeste dingen die ik weet heb ik
geleerd met de hulp van niemand anders dan mezelf.

Tegenwoordig laat ik tijdens regenachtige lunchpauzes
soms een paar kinderen toe in mijn hok – met een tweede
conciërge erbij als chaperon uiteraard, je kunt niet voorzichtig genoeg zijn – en geef ik hun nuttige lessen in onmogelijk-
heid. Een kaart kan niet in mijn rechterhand zijn en tegelijk
in mijn linker; hij kan zich niet van ergens naar nergens
verplaatsen en weer terug; hij kan niet zichzelf en tezelfder-
tijd iets anders zijn. Maar aan de andere kant ook weer wel,
als je begrijpt wat de truc is.

Zo laten mijn leerlingen zich tenminste niet in de luren
leggen bij een spelletje balletje-balletje of iets in die trant, en
ze zullen niet wedden dat ze de dame kunnen vinden: ze is
onvindbaar. De snuggersten zullen zich misschien de grap-
pige verwarring herinneren als ik muntgeld uit hun oren
haalde, of als ik hun duimen uiteindelijk niet afhakte met

mijn guillotine. Als ze zich realiseren, veel later in hun leven, dat hun behoeften de natuurwetten weerspreken, of dat iedere volwassene regelmatig het weerloze slachtoffer van bedrog wordt en vaak tegelijk zichzelf en volstrekt iemand anders moet zijn – ik hoop dat ze dan zullen beseffen dat ze op een bescheiden manier zijn voorbereid.

Voor Elizabeth heb ik een privé-voorstelling gegeven. Mijn handen struikelden en botsten toen ik de deur voor haar openhield en haar de beste van mijn stoelen wees, maar ze kwamen tot rust toen ik de slag te pakken had. Ik haalde ringen door flessenhalzen waar ze niet doorheen konden, schonk halveliterglazen uit in kwartliters en andersom, nam haar polshorloge af – met haar warmte er nog aan – wikkelde het in een zakdoek, verbrijzelde het en gaf het haar onge-schonden terug. Ze was een beetje bang voor de guillotine, dus gebruikte ik die alleen op mezelf. Het enige wat ze opnieuw wilde zien, was hoe ik een muntje over mijn knok-kels liet wippen, van links naar rechts en van rechts naar links, ad infinitum.

'Maar dit is geen truc.'

'Nee. Dat kan ik zien.'

'Het is een oefening – om de vingers soepel te houden.' Vanwege de stemming waarin ik verkeerde, klonk dit nogal persoonlijk en ongepast. Ik bleef doorpraten, zodat ik niet zou gaan blozen. 'De oude illusionisten studeerden de meest onvoorstelbare dingen in. Houdini leerde zichzelf spelden op te pakken met zijn wimpers.'

Heel even fronste ze, huiverde om de substantie van alles. 'Waarom?'

'Omdat hij vond dat hij het moest kunnen.'

Dit wilde ik wel persoonlijk en ongepast laten klinken.

Vanaf de volgende ochtend liet ik mijn snor staan. Ik wilde anders zijn voor haar. Mal zei dat hij het mooi vond en mijn vrouw zei van niet, alsof het de kussen in de weg zat die we elkaar niet meer gaven. En op een vrijdagmiddag, zes weken nadat Elizabeth Harrison verschenen was, het speelplein in een scherpe lentegeur gehuld, geen kinderen, de deur gesloten, boog ik me over het bureau in haar klaslokaal en kuste haar, Elizabeth.

Dus dit is het dan, toch? Liefde.

Mijn snor zat niet in de weg.

Ze had me verteld over haar vader. Dat deden we vaak: informatie uitwisselen, alsof we allebei formulieren waren die we moesten invullen, die we graag zouden invullen. We hadden geen haast, haar echtgenoot kwam haar niet halen op vrijdag, dus had ik over de twee cavia's verteld die ik had toen ik zeven of acht was, en vandaar kwamen we op katten, op haar kat, hoe ze je altijd storen als je aan de telefoon bent, net kinderen – zelf heeft ze geen kinderen – en toen op haar vader, hoe hard hij schreeuwde als hij belde, alsof hij de afstand tussen hen moest overbruggen, en toen zweeg ze en kon me niet in de ogen zien en toen kuste ik haar. Op haar mond.

Daarna controleerde ik of ze nog wit krijt nodig had en ik zei iets over de rommel op het schoolplein, en ieder gerucht buiten was iemand die me kwam halen, om me te laten stoppen, maar er kwam niemand en ik likte mijn lippen – *ze smaakt naar mij, net als ik* – en ze kwam naast me staan om te zien hoe de avond inviel door de ramen.

'Waarom hebben ze hier gravel gelegd, zou je denken?'

'Omdat ze niet van kinderen houden.' Mijn stem klonk heel klein, of het was dat mijn ik groter en heet was geworden. 'Dat doen scholen eigenlijk nooit.'

'Wat zeg je daar voor iets vreselijks.'

En het lokaal deinde om me naar haar te laten kijken, haar vast te pakken voor het evenwicht en haar opnieuw te kussen. Elizabeths handen sloten zich onder op mijn rug, precies waar een zwaar, zilverig gevoel begon te bloeien en sijpelen, zodra we elkaar in die eerste aanraking sloten.

'Ik ben blij dat ik dit lokaal heb gekregen.' Haar stem in mijn hals, strelend onder mijn hemd, onder mijn ribben: de sleutel om mij te openen. 'Je krijgt hier zo veel zon.'

En ik deed mijn best om niet te trillen, niet terug te deinzen, om alleen maar zacht te zijn, zeker. 'In de zomer zul je er misschien minder blij mee zijn.'

'Ik kan de ramen openzetten.'

'Ja. Dat kun je doen.'

Toen we terugweken, streelde ze het haar boven mijn oor, waar ik onpasselijk van werd: op een goede manier onpasselijk. Ik kon niets bedenken om terug te doen. 'Goed, ik zie je maandag weer.' Ik wilde het niet laten klinken alsof ik wegging, maar ik wist ook niet hoe ik kon blijven. Mijn hartslag was wild geworden en het hele zaakje kwam overeind, ik wist zeker dat het te zien moest zijn.

En is dat wat ze graag zou zien? Ik bedoel, zijn we alleen maar voorzichtig, of mag het ons niets doen als we elkaar treffen en naar elkaar smaken – horen we het niet te zeggen? We doen dit alsof we het niet doen? Weet ze dat ik een stijve heb? Wil ze dat of niet? Mij of niet?

Ik liep naar de deur en ik voelde me wegzinken, de hele tijd, in het duister van een poel, iets wat mijn adem smoorde.

Toch ben ik hier, mezelf. Dit ben ik nu, gevonden. Dit is liefde.

Scholen zijn oplettende plekken, vol kleine ogen, maar Elizabeth en ik, wij waren volkomen onzichtbaar. Ik vond het heerlijk: om over het schoolplein te lopen en omhoog te kijken, haar vorm te ontwaren die omlaagkeek, de klas uit het gezicht. We lieten nooit blijken dat we elkaar hadden opgemerkt, maar we wisten het wel. Precies zoals we deden tussen de meute op schoolbijeenkomsten, als ik soms zonder een teken langs haar liep, en dan bij de deur steun moest zoeken, uit evenwicht terwijl haar beeld in me oprees en tot ontploffing kwam: wat een schoonheid.

Wat een schoonheid. En we weten het ook, nietwaar? We weten het allebei.

Ten slotte heb ik het aan Mal verteld. Niet dat ik dat wilde, maar ik had er behoefte aan dat mijn liefde ook hardop bestond.

Hij was vijf destijds, geloof ik, of net zes, en voor hij ging slapen plachten we te praten, of ik las hem voor of verzon verhaaltjes. *In een woestijn, in een kasteel, in een kerker, daar was ooit een gevangenbewaarder en iedereen vond dat hij niets bijzonders was en dat vond hij zelf ook.* Deze bewaarder was onze favoriet, hij had genoeg van mij weg om vertrouwd te zijn, stond ver genoeg van me af om op hem gesteld te zijn. Zijn naam was Ted en hij vocht met de gebruikelijke monsters, waarvan sommige van buitenaardse afkomst waren, maar altijd weer keerde zo'n monster terug naar huis om er in liefde te leven met zijn beminde. Die had in ieder verhaal wel wat weg van Malcolms moeder, want ik ben niet gek. *Maar steeds als hij haar ontmoette, was zijn liefde voor haar weer nieuw, het maakte hem beter dan hij was, het was alsof je honger had en op vakantie was en naar Kerstmis verlangde en dacht dat het bijna zover was.*

Tja, hoe beschrijf je je liefde aan iemand, laat staan aan een kind – en laten we het er maar niet over hebben dat al dit verlangen naar Elizabeth het volstrekt onmogelijk maakte om nog een erectie te hebben voor mijn vrouw. Wat dat betreft heb ik haar niets meer te bieden, helemaal niets. *Liefde is als de leukste verrassing die je 's morgens kunt bedenken, alsof je overal gelikt wordt.* Dus denkt Malcolm waarschijnlijk dat de liefde kriebelt – al zou ik dat niet erg vinden, zolang hij maar weet dat het fijn hoort te zijn.

En dat is het ook. Mijn gezicht in haar haar, ja: er zijn voor de warmte, voor de intentie die haar gezicht doet oplichten, onze handen verwikkeld in alle mogelijke grepen en strelingen, allemaal, en de eerste keer dat ze het zegel van haar mond voor me opende, ja, en mijn lichaam tegen het hare gevlijd en gedrukt en geklemd, terwijl ik probeer onze kleren weg te denken, ja – dat is wat ik heb met Elizabeth, maar verder niets. We hebben alleen onze liefde, bedrijven doen we haar niet.

Dus kan ik niet neuken met mijn vrouw – huiselijke impotentie – en hoewel ik er met Elizabeth heel wel toe in staat zou zijn, hoewel ik het wil en nodig heb, het in een vloek en een zucht zou kunnen doen, misschien nog wel sneller, gebeurt het nooit, niet echt. In overeenstemming met mijn wensen of in weerwil ervan – hoe het ook zij, ik neuk gewoon niet meer.

En het doet me pijn, als ik erbij stilsta, en ik sta er vaak bij stil.

Ooit hebben we twee hele vrije lesuren samen in het ketelhok gezeten. De klas van Elizabeth was zonder haar naar het zwembad, waar ze wat mij betreft onder andermans hoede mochten verdrinken. Zo hadden we anderhalf uur in pulverig, getemperd licht, terwijl de warmte door de pijpen om ons heen stroomde, met niets anders te doen dan praten over onszelf en onze voorkeuren.

Er was meer te doen dan alleen dat – het was volstrekt duidelijk dat er meer was – maar we deden het niet. Ik trok haar binnen door de zijdeur, ik weet niet eens zeker of ze wist dat daar een deur was, maar ze protesteerde niet – ze liep gewoon door en kwam met me mee, terwijl ze mijn hand vasthield. Eenmaal tegenover elkaar gezeten, wisselden we fluisterend bijzonderheden uit, de plaatsen en de manieren: haar eerste keer – en ooit in het park met een

vriendje toen ze twintig was – de menigte die me altijd inhaalt in
mijn dromen – mijn eerste keer – en dat ik er altijd in wil blijven,
ook naderhand, dat ik binnen wil zijn, alles wil voelen.

'Dus je bent veeleisend.'

'Nee.' De lucht was vilterig, droog, ik moest er steeds van hoesten. 'Zo is het niet. Ik ben heel snel tevreden, maar waar ik van hou, daar hou ik heel veel van.'

Ik hoopte dat ze hetzelfde terug zou zeggen, of iets vergelijkbaars, maar ze deed het niet en je zou toch verwachten, als stel, dat je elkaar zulke dingen vertelde, want je wilt allebei dat de ander zich prettig voelt, gelukkig, genaaid. Zo zou de conversatie niet volkomen doelloos zijn.

Dat mag je in redelijkheid verwachten.

Aan het eind van de middag kon ik me niet meer bewegen. Ze kuste me boven op mijn hoofd, de enige keer dat we elkaar die dag hebben aangeraakt, en haastte zich de trappen op om op tijd te zijn voor haar lift. Ik staarde naar de pijpen, de opslagdozen – om de een of andere reden gevuld met oude bladmuziek – en ik las de instructies op de branddeken, steeds opnieuw. Er ging iets mis in mijn botten, dat realiseerde ik me, en het was alsof ik op verschillende manieren ziek was of het snel zou worden. Mijn schedel deed pijn waar haar lippen op mijn haar hadden gerust.

Weet u – de man die de sigarettenaansteker voor in de auto heeft uitgevonden, die met het kleine element dat je in het dashbord prikt, die man was een goochelaar. Hij moest ongezien dingen in brand kunnen steken, en dit was de oplossing voor het probleem: heel slim. Naar wat ik erover gehoord heb, werd het idee ingepikt door een grote autofabriek en de goochelaar heeft nooit een cent gezien en er ook geen erkenning voor gekregen. Terwijl ik vastzat in de kelder tot mijn benen me weer konden dragen, dacht ik hierover na.

Je doet al het werk en je krijgt er niets voor terug, geen enkele reden tot hoop. Verwachting zonder toekomst, weet u wat dat is – een definitie van wanhoop.

En ik zat er lang genoeg om te bedenken dat als ze niet van haar man hield, en ze was deze liefde met mij begonnen maar wilde niet verdergaan, dat ik dan misschien een deur voor haar had opengezet en dat iemand anders erdoor was binnengeglipt.

Al die moeite en je krijgt er niets voor terug.

Ik kon nog bijtijds naar een van de dozen kruipen, waar ik overgaf op een aantal exemplaren van 'I'd Like to Teach the World to Sing'.

Arme Malcolm, daarna kon hij heel wat avonden niet op tijd gaan slapen, hoewel ik hem niet wakker hield met verhalen: ik had de moed niet voor Ted, laat staan voor zijn beminde, of zijn liefde. Ik hield het bij feiten. Mal lijkt nooit eenzaam te zijn, maar ik hoop dat kennis van praktische informatie hem kan helpen als hij bij de andere jongens is. Ik heb hem met een soldeerbout leren omgaan – met het voorspelbare klonterige resultaat – hij kan een stekker om-solderen en hij begrijpt hoe poelies en versnellingen werken. Ik wil mijn zoon echt helpen. Dus heb ik bijvoorbeeld op zijn bed gezeten na het voorval in het ketelhok, en ik heb hem verteld waarom sterren knipperen en waarom het geluid van een brandweerwagen verandert als hij voorbijkomt en wat inertie is. Ik heb geprobeerd te doen wat goed is, vaderlijk te zijn, al was ik diep in het duister van mijn hart blij dat Malcolm zo alleen was – het zoontje van de enge conciërge – omdat dit betekende dat de scheldpartijen en het luidruchtige commentaar op mijn pik binnen de muren van mijn huis en in de familie zouden blijven, en tegelijk, dat zelfs het kleinste gerucht over Elizabeth in de buitenwereld niet tot ons door kon dringen, zodat het veilig voor me was, veilig om heel weinig te doen, maar toch.

Malcolm, weet je nog het ritje dat we afgelopen zomer gemaakt hebben? Op de weg lag water dat je kon zien maar nooit kon bereiken, omdat het er niet echt was. Het leek tovenarij maar het was gewoon zoals de wereld in elkaar zit.

Soms wist ik niet of hij me begreep, dan stond zijn gezicht verbaasd, of misschien moe, en het was moeilijk om die twee uit elkaar te houden.

Licht – ik heb je over licht verteld, dat het komt in kleine deeltjes en tegelijk in lange lijnen, en vraag je maar niet af of dat onmogelijk is. Ja, licht weet altijd wat de snelste weg is. Het gaat trager door water en door koude lucht, dus mijdt het die. Als we autorijden, als we buiten in de kou zijn en de zon is er ook, maar beneden op de weg ligt wat warme lucht, dan zal het zonlicht de snelste weg naar onze ogen kiezen, het duikt door de warme lucht en komt dan weer omhoog. Dus zien we hemellicht van de bodem komen en het ziet eruit als water dat de zon reflecteert, hoewel er helemaal geen water ligt. Licht weet altijd wat het moet doen, net tovenarij.

Dat was het moment waarop ik begon te bidden: niet erg formeel, alleen maar verzoekjes om hulp. Ik ben niet godsdienstig, nooit geweest ook, mijn vader was communist, maar denken had me niet geholpen, en plannen maken, wensen doen, haar mijden of juist opzoeken ook niet. Op een zaterdagmiddag betrapte mijn vrouw me terwijl ik zat te bidden. Ik moest doen alsof ik iets zocht dat ik onder het bed had laten vallen. Vraag maar niet waarom ik het juist in de slaapkamer deed – Christopher Robin met zijn ellebogen op de sprei, ofwel de plek die ik het sterkst met een behoefte aan goddelijke tussenkomst associeerde, niets was nog helder voor me – maar daar was ik terechtgekomen. Ik keek achterom en mijn vrouw stond zwijgend achter me, en het was alsof ze me betrapt had terwijl ik iets van haar stal, of mezelf afrukte, en ze keek me aan alsof ze wou dat het dat geweest was. Daarna sprak ik alleen nog in de badkamer met God.

En gebeden worden verhoord, eerlijk waar. Op mijn enige, herhaalde poging kwam zeker een antwoord.

'Ik vertrek.'

Ze noemde een basisschool in het noorden van onze stad, terwijl mijn adem stokte en vertwijfeld weer op gang kwam, te snel.

'Bill is daar al.'

Bill, haar man, was ook onderwijzer. Ik had hem van een afstand bekeken – hij ging slecht gekleed en je zou hebben gezworen dat zijn moeder zijn haar nog knipte. 'Zo, is dat goed dan? Wil je soms...' Ik wilde eindigen met 'samen op dezelfde school werken', op een toon die suggereerde dat het tot spanningen en allerlei andere ellende zou leiden. Maar dat wisten we al, dus liet ik het maar zitten. Ik zat op de rand van haar bureau, bang. 'O.' Ik kon me niet herinneren dat ik ooit zo enorm bang was geweest.

'Als ik een beetje op orde ben, bel ik je.'

Toen we elkaar kusten, zoog ik met geweld haar tong naar binnen, hoopte dat het een beetje pijn deed, liet mijn handen naar haar achterwerk glijden en omklemde haar zoals ik het niet vaak gewaagd had, bang dat ik niets gedaan zou krijgen en dan gek zou worden.

Ik ben een conciërge, niet een man die door vrouwen wordt opgebeld. Nooit in mijn leven heeft iemand dat gedaan, niet op die manier.

En toch werd ik gek. Niet spectaculair: ik denk dat ik de enige ben die het doorhad. Ze waren van plan om een afscheidsfeest te houden op school om Elizabeth in stijl uit te zwaaien, en het was de bedoeling dat ik ook zou komen om een paar trucs te doen. Maar ik voelde me niet lekker die week en ik geloof dat ze, voordien al, van gedachten veranderd waren en hadden afgesproken om een avond naar de pub te gaan.

Op maandagochtend hadden ze het over hun kater en ze zeiden dat ze plezier hadden gehad, en een tijdlang vermeed ik het om over het speelplein te lopen, omdat Elizabeth Harrison er niet meer was. Ik deed mijn best om de invalkracht niet te haten die haar was komen vervangen. Die invalkrachten van tegenwoordig, ze weten niks, dat is wat we krijgen in plaats van onderwijzers.

Ik heb nog een week gebeden, maar het leek geen effect meer te sorteren. Mrs. Campbell, die belast is met het domme deel van groep 1, is gek genoeg om de *I Ching* te consulteren voor ze een beslissing neemt, en ze is gek genoeg om ervoor uit te komen. Ik leende haar exemplaar, wachtte tot de kust veilig was en sloop ermee naar boven, deed de deur op de grendel en wierp de stokjes die een patroon moeten vormen op het deksel van de toiletpot – zo beschermde ik niet alleen mijn privacy, dacht ik, het leek me ook volkomen toepasselijk.

Hij kan degene die hij volgt niet helpen en hij is ontevreden. De situatie is hachelijk en het hart brandt van onderdrukte opwinding.

Dat waren de enige zinnen die ergens op leken te slaan. Behalve dat het ook de aandacht op de botten in mijn lichaam vestigde, die dunner aanvoelden, pijnlijk. De voorspelling sloot af met 'het lot zal u goedgezind zijn', maar ik nam aan dat de meeste voorspellingen daarmee eindigden, zodat je om raad zou blijven vragen. Maar ik wilde het geloven: ik wist dat ik het niet moest doen, omdat het lot een man als ik nooit goedgezind is.

'John?' Ze had het nummer van mijn hok gedraaid, had drie of vier keer moeten bellen, 'Hallo? Ben jij het?' voor ze me aantrof, toevallig alleen. 'John, ik ben het, Elizabeth.'

Alsof ik dat al niet wist.

'Ja, ja, ik... hallo?' Die zachte poel gaapte me aan en ik sprong, ik dook erin als een gelukkige zelfmoordenaar. 'Gaat het uh... gaat het goed met je?'

'Ja. En met jou?'

Ik kon geen antwoord vinden en Elizabeth wachtte er niet op, ze had maar een minuutje voor ze weer terug moest zijn, maar ze wilde me zien, donderdagavond, in de bar van een hotel waarvan ik nog nooit gehoord had, ergens aan de rand van de stad.

Een hotel.

Die week stelde ik Malcolm en Ted bloot aan een spervuur van beproevingen en monsters, maar ik liet ze niet bij het kasteel komen. *Een hotel.* Als Ted in de buurt van zijn liefje gekomen is, kan het niet aan mij gelegen hebben.

Een hotel.

Mijn vrouw vertelde ik een smoes – dat ik geen goede raamkit meer had, maar dat Steve van St. Saviour's gezegd had dat hij nog wat had liggen; ik zou ernaartoe gaan om het op te halen, en om wat te drinken. Steve houdt van een drankje op zijn tijd en goede raamkit is soms moeilijk te krijgen. Ik zou het zelf hebben geloofd.

En die donderdag vertrok ik in een onopvallende broek, maar onder die vreselijke parka droeg ik mijn nette jasje, mijn mooiste overhemd – ik heb er niet veel die niet wit zijn – en mijn beste stropdas. In een van mijn idioot kleine ritszakken had ik zonder reden twee condooms gestopt.

Niet om te gebruiken, ik denk niet dat ik ze zal gebruiken, niet één. Maar als ik ze toch nodig zou hebben en ik had ze niet bij me, jezus.

Ik had het kunnen weten. De *I Ching* van groep 1 had gezegd: *De situatie is hachelijk. Er moeten geen stappen gezet worden in enige richting.* En zij is Elizabeth en ik ben deze man en niet een ander en dus had ik moeten inzien wat ik kon verwachten.

Dat ze fris zou ruiken omdat ze een bad had genomen: die verschillende geurtjes: de rustige, reine avondsmaak van een vrouw iedere keer als je inademt, als je slikt; en de geur van haar huid, de bereikbare huid die je kust op haar wang en bij haar lippen, die je streelt met je hand – traag, ernstig, zoals het hoort, op zoek naar je beminde. En vanavond wil je haar helemaal zien, alles, haar zwetend aan je lichaam klemmen, huilen en jagen en huiveren tot je gelukkig bent, jullie allebei.

Als we elkaar zien, maakt het ons niet gelukkig, het maakt alleen dat we willen bestaan.

Ik besefte, zodra ik haar gezicht zag, dat ze geen kamer besproken had, dat we samen naar ons eten zouden staren in het ruime, overwegend zandkleurige restaurant, en dat ik een beetje te veel zou drinken en dan koffie zou nemen – ik weet dat het onwaarschijnlijk klinkt, maar ik geloof dat ik zes koffie heb gedronken – om het etentje te rekken.

Als iemand ons gezien had, zoals we erbij zaten, hadden we net zo diep in de nesten gezeten als wanneer we samen naar boven waren gegaan, of als we op tafel geneukt hadden terwijl de ober ons het elfde en twaalfde pepermuntje voor bij de koffie bracht.

We bleven te lang in de lounge staan voor we vertrokken. De portier wierp ons zijdelingse blikken toe, in afwachting van de uiteindelijke instemming, de ommekeer, het gemompelde verzoek om een tweepersoonskamer. Hij wist niet hoe wij zijn. Onze handen streken en wreven over schouders, onderarmen, en niets sloot fatsoenlijk aan. Zachtjes wensten we elkaar de goede nacht die we niet zouden hebben en liepen in het donker naar verschillende auto's. Ik had niet moeten rijden, maar er zijn zo veel dingen die ik niet zou moeten doen en ik zou mezelf niet zijn als ik ze niet deed.

Dit is liefde. Dit afschuwelijke gevoel. Dit besef dat ik haar liever blijf zien dan tevreden te zijn met wat ik heb. Zelfs hoe we zijn is al bijna genoeg. Dit is liefde.

Dit is de liefde zoals ik haar begrijp. Ik kan me vergissen. Liever zou ik er niet over praten, ik vermoed dat dat nog het beste zou zijn. Maar dan Malcolm, iedere keer als ik denk dat hij het achter zich heeft gelaten, gaat hij rechtop in bed zitten en wil erover horen. Uiteindelijk moet hij er altijd naar vragen. Misschien heeft hij door dat ik het nodig heb, dat ik, als hij er niet was, terug zou komen van het restaurant in februari, de bioscoop in april, het hotel in mei – van elk van mijn onbesliste afspraakjes met Elizabeth – en niet zou weten wat ik moest beginnen.

Hoewel het altijd ongepast zal zijn, zou ik hem graag vertellen, hem echt willen zeggen: *De beste liefde is een beetje als licht. Ze laat niet af, ze kan niet anders dan je vinden, dan de kortste, de veiligste weg kiezen, alsof het staat aangeduid als deel van je karakter, de lijn waar jij en de liefde elkaar moeten ontmoeten. Het is jouw wet, de fysica van je leven. Het zal zich van ergens naar nergens en terug verplaatsen en je laten verdwalen. Het is prachtig en vreselijk en verblindend en je zult nooit begrijpen hoe de truc precies werkt.*

HOE JE DE WEG VINDT IN HET BOS

Voor Shelby White en Leon Levy

Bijna de hele nacht had de donder boven het huis geraasd en getierd en ze waren ieder op hun eigen slaapkamer gebleven, Sarah had het bos zien opensplijten, uitgekerfd in het donker. Het gras, de bomen, de struiken, een paar onbehaaglijke seconden zat alles gevangen onder een hemel die plotseling lila was, waarna het raam terugzonk in de heimelijkheid en niet meer prijsgaf dan haar spiegelbeeld, huiverend in het geraas van de nadonder, en bleek.

Het verschoten gezicht in de vensterruit had haar verrast, de smalle mond, een bijna onbetrouwbaar trekje in de ogen terwijl ze door haar heen gekeken hadden naar de geladen rand van de open plek. Ze had een beetje ouder geleken dan ze was en, letterlijk, oppervlakkiger: iemand die duidelijk, op de een of andere manier, geen goed leven geleid had. Er was niets uitgesproken boosaardigs of onaangenaams aan het beeld, alleen een suggestie van geringe diepgang, van middelmatigheid. Dit had puur met het licht te maken, met de vreemdheid van het licht, maar toch voelde ze zich niet prettig die morgen, alsof ze een gekoesterd bezit was kwijtgeraakt.

'God, het was fantastisch. Ik was bijna naar buiten gegaan.' Tien voor half tien en David leunde tegen de deurpost van de keuken. Hij zag er moe uit, net als zijzelf waarschijnlijk, maar hij leek ook tevreden te zijn, op zijn gemak. 'Ben je er wakker van geworden?' Voor de eerste keer dacht ze dat hij misschien toch blij was dat hij gekomen was.

'Natuurlijk ben ik er wakker van geworden.'

Toen David langs haar liep, merkte ze dat hij naar zichzelf rook en naar de privacy van de slaap. Hij kwam aan tafel zitten en rekte zich uit, ontspannen. 'Was je niet bang?'

Hij had zich nog niet geschoren. Ze was niet gewend om hem met stoppels te zien, ook niet in een ochtendjas trouwens. Sarah wachtte liefst op de uitwerking van haar eerste koppen koffie voor ze haar nachtgoed aflegde. Ze had geen reden gezien om haar gewoonten aan te passen alleen omdat David er was, maar hij had er van zijn kant steeds zorg voor gedragen, op ieder van de afgelopen dagen samen, dat hij zich pas liet zien als hij volledig verzorgd en gekleed was. Wat ook de indruk was die hij daarmee op haar wilde maken, het trof haar als een defensieve houding, een kleine maar onmiskenbare afwijzing bij ieder gezamenlijk ontbijt.

'Nou, ben je bang geweest?'

'Had je dat gedacht dan?' Je kon erop wachten dat ze naar hem uit zou vallen.

'Zo onweert het nooit in Engeland.' Zijn stem was dieper zo vroeg in de ochtend, broos op een manier die nieuw voor haar was.

Ze dacht tenminste dat het nieuw was. 'Maar hier heb je het om de haverklap.' En erg aantrekkelijk was hij niet, vond ze. Niet meer. 'Aan jou zou ik veel gehad hebben als ik bang was geweest.'

'Ik weet hoe ik mensen op hun gemak kan stellen.' Hij zei het op lichte toon, maar het herinnerde haar er niettemin aan dat ze hem niet meer echt kende, dat er voldoende tijd verstreken was om hen afstandelijk te maken.

'Ik zal je maar op je woord geloven dan.' Het was niet echt haar bedoeling om zuur te klinken, maar ze wist dat het zo overkwam, dus deed ze haar best om te glimlachen. 'Ik had wel verlamd kunnen zijn van paniek. Maar je bent niet even gauw een kijkje komen nemen. Je bent niet eens rustig een kijkje komen nemen...'

David maakte even zijn ogen groter, nam haar blik, dronk hem in, en ontstak een smeulende pauze in haar binnenste voor hij wegknipperde. Dat had hij altijd al gedaan, die grote ogen opgezet – *wij zijn samen, wat we ook zeggen.* Haar glimlach verflauwde, onzeker van zichzelf. In bars, op feestjes, als ze op zondag bij zijn moeder aten, overal eigenlijk, had die blik betekend dat ze snel alleen zouden zijn, dat ze de ruimte die hen scheidde zouden opheffen, dat ze niet meer gestoord zouden worden, dat ze alleen elkaars ritme zouden terugvinden, aanraking na aanraking. Onderweg zouden ze elkaar kussen, ongeduldig in de kromming van een trappenhuis, in gangen, in de auto – overal eigenlijk.

Maar nu betekende het niets, niet vandaag. Het was een domme vergissing, een zenuwtrek: een die haar adem deed stokken, maar alleen maar per ongeluk. Waarom zou hij een teken geven dat hij met haar alleen wilde zijn als er verder niemand was?

Hij grijnsde naar haar en verbrak toen, voor ze iets kon zeggen, de stilte. 'En dat neem je niet terug?'

'Wat terugnemen?'

'Wil je zeggen dat je echt hoopte dat ik zou komen kijken? Blijf je daarbij? Wil je serieus dat ik rekening houd met de mogelijkheid dat je bang was voor dat onweer? Jij.' Hij tikte tegen de rand van zijn kopje. 'Sarah,' zachtjes, 'Guardham', ieder woord markerend. 'De vrouw die hier tegenover me zit.' Dit laatste alsof het iets was dat hem plezier deed – Sarah tegenover hem, zij tweeën samen, alleen.

Waardoor de woorden opdroogden in haar keel. 'Ik ben misschien niet meer degene die je je herinnert. Het is een tijdje geleden...'

'Ja, ik weet het. Maar je bent niet veranderd. Of wel soms?'

Hij keek haar aan, probeerde met zijn glimlach een nieuwe vraag in te leiden, een die hij niet wilde stellen. 'Nou?'

'Ik ben ouder geworden...'

'Ben je veranderd?'

'Nee.' En dit was niet minder waar dan 'ja', maar toch moest ze de woorden op het raam achter hem richten, op het vochtige, groene ochtendlicht. Toen hij bleef zwijgen, keerde ze zich naar hem toe en zag dat zijn ogen gesloten waren, zijn hoofd een beetje scheef. Hij liet een kort, ijl zuchtje ontsnappen, waarna de lijn van zijn lippen rechter werd en zijn mond verstrakte.

Ze had hem niet willen ergeren, 'David?' maar was er niettemin in geslaagd.

'Geen punt. Ik heb het gehoord. Je bent niet veranderd.' Hij maakte aanstalten om op te staan. 'Ik moet me scheren, me opknappen.'

'Je hoeft niet.' Hoewel het geen nut had dat ze wat zei, omdat ook hij niet veranderd was. 'Niet voor mij, tenminste.' Als hij zin had om kwaad te zijn, dan werd hij het: plotseling ziedend van woede, en potdicht.

'Dat moet ik wel – voor mezelf.' Hij staarde haar aan alsof ze die vrouw in het raam was, een onaantrekkelijke vervalsing.

'En als ik je vroeg om het niet te doen?'

'Doe niet zo raar.' Hij geeuwde, een beweging die iets onoprechts had, en haalde toen het plezier uit haar herinnering aan de afgelopen nacht. 'Eerlijk gezegd is het niet bij me opgekomen dat je bang kon zijn voor de donder. Toen de storm losbrak, ben ik zo uit bed gesprongen en ik heb niet eens... Nou ja, je snapt het.'

En ze snapte het: hij zou hebben vervolgd met 'en ik heb niet eens aan je gedacht', en liever dan haar te kwetsen, had hij zijn zin door haar laten afmaken, zodat ze zichzelf kon kwetsen.

236

'Vooruit, ga je scheren dan.' Haar stem raspend en belegen – bijna gênant. 'Het is hoognodig.' Ze keek hem na: het kleine plukje haar vlak bij zijn kruin dat maar niet plat wilde blijven liggen, hoe zijn ochtendjas zich om zijn lichaam plooide, het zachte heffen en dalen van zijn blote voeten. Hij liep met stramme, korte pasjes, wat hem iets parmantigs gaf.

Sarah besloot de gebakken bacon weg te gooien. Ze waren er niet toe gekomen ervan te eten, maar toch was dit niet zo handig: ze konden hem immers later nog koud eten, de houdbaarheidsdatum was nog niet verstreken, maar door hun gekibbel zou hij niet meer lekker smaken, zoals verse melk scheen te bederven door de bliksem. Zelf hoefde ze niet, dus weg ermee, als David later toch nog trek in bacon kreeg, kon hij hem zelf bakken.

Ze ruimde de tafel af en deed de afwas, terwijl ze naar de kleine pedante geluidjes luisterde van zijn toebereidselen voor de dag: het geroffel van een lange, grondige douche, het gekletter in de badkamer, het zachte zoemen van zijn scheerapparaat terwijl hij naar zichzelf staarde, stelde ze zich voor, zoals hij het vroeger gedaan had, met een soort bestudeerde spijt. De luidere geluiden verrieden een slecht humeur, en één keer hoorde ze hem met doffe stem onverstaanbare klachten brommen. Hij maakte dat het huis zich om haar samentrok.

Dus liep ze naar buiten het terras op. De zon stond inmiddels hoog genoeg om vol op het plankier te vallen en het vocht in een loom wiegende nevel omhoog te zenden. De storm had overal zijn sporen nagelaten, witte kieren en gaten in het bladerdek, hopen afgerukte bladeren, de geur van drogend hout en natte aarde. Een specht hipte pikkend door het gras aan de rand van de open plek, op zoek naar gevallen insecten.

Hier was ze naar op zoek geweest toen ze hier was komen wonen, een schone plek om in alle rust naar niets bijzonders te kijken. Natuurlijk was er een logeerkamer, maar ze had niet gedacht dat er ooit iemand gebruik van zou maken. Als je na drieëndertig jaar terugkwam, was dit wat je kon verwachten: geen bezoekers. Moeder op de lutherse begraafplaats en vader op de episcopale, en bloemen op hun graven achterlaten had geen zin nadat ze beide begrafenissen gemist had, samen met de stiltes en het geruzie, het hele gedoe allang en voorgoed voorbij. Ze had een paar neven en nichten in de buurt van Norwalk, dacht ze, maar ze kon zich hen niet herinneren. Hoe dan ook, de mensen had ze niet gemist, ze was gekomen voor de kleuren van New England. Ze wilde die zeegebleekte aanblik terug die overal te vinden was: zelfs in het binnenland, het laagje zout, dat blauw in het oog van het weer.

Ergens achter zich hoorde ze een deur slaan, gevolgd door het lichtere klappen van de hor en toen het stampen van prikkelbare voeten. David ging dus een wandeling maken, ging zonder haar op stap. Dat had hij in Manchester ook kunnen doen, waar hij thuishoorde.

Ze luisterde naar zijn onstuitbare aftocht over het smalle pad langs de zijkant van het huis. Eerst vloog de specht op, zijn vleugels wiekend als twee vlammend witte bogen in de schaduw, daarna begonnen in oostelijke richting de kraaien nerveus te foeteren. De man deed niets dan de rust verstoren. Toen kon ze de rode schreeuw van zijn trui onderscheiden, gebroken door de bladeren, en de bleke vlekken van zijn handen en gezicht terwijl hij moeizaam verder liep. Het zweet moest hem al zijn uitgebroken: het was nu al zo zwoel en drukkend dat de geringste inspanning gesmoord en afgestraft werd. Arme David, altijd te dik aangekleed.

Sarah bedacht dat ze zelf ook wel een douche kon nemen,

om een begin te maken met de dag alsof hij nooit was komen opdagen. Maar toen merkte ze dat hij het pad had verlaten en was blijven staan, haar tussen de bomen door aankeek vanaf de voet van de helling. Van die afstand was zijn blik niet goed zichtbaar, maar het treurige afhangen van zijn schouders kon ze lezen.

En hoewel ze het niet wilde, herinnerde ze zich die avond kort voor het einde, toen ze ruzie hadden gemaakt en hij, zoals gebruikelijk, bij haar was weggelopen maar niet was vertrokken. In plaats daarvan was hij alleen aan de bar gaan staan met zijn rug naar haar toe, zonder iets te drinken, zonder te praten met de mensen naast hem, en toen ze gezien had hoe hij erbij stond, hoe uit alle lijnen van zijn lichaam ellende sprak, had ze naar hem toe willen gaan om hem te kussen en zijn nek te strelen. Maar hij was degene die de eenzaamheid had opgezocht, dus had ze het zachte prikken van de behoefte onder haar ribben gevoeld maar besloten er niet naar te luisteren. Ze was zonder hem uit de pub vertrokken, had de nacht doorwaakt in haar flat, zich er volledig van bewust dat hij dit keer niet terug zou komen.

En nu was hij hier, roerloos en weer helemaal opnieuw ongelukkig tegen haar. Het was belachelijk. Ze voelde sterk de neiging om te zwaaien, maar ze wist dat David het niet op prijs zou stellen – zijn gevoel voor humor kon bijzonder snel verdwijnen.

En ik heb geen idee wat je dan wel leuk zou vinden. Zelfs dat heb ik nooit geweten. En ik heb geprobeerd eruchter te komen, je kunt niet zeggen dat ik mijn best niet gedaan heb.

Ze bracht een hand naar haar gezicht en streek haar haar naar achteren, vouwde toen haar armen, met alleen de balustrade tussen haar en het hardnekkige poken van zijn aandacht.

Ik zou naar binnen gaan als hij daar niet nog steeds stond en zich belachelijk maakte.

David bleef David, altijd dezelfde, altijd moest hij zijn zin doordrijven. Nu zorgde hij ervoor dat ze niet weg kon lopen zonder hem ongewild te beledigen en niet kon blijven staan zonder zijn aanraking te voelen, als een geestverschijning op haar huid.

Hoewel dat waarschijnlijk niet zijn bedoeling is, het gebeurt gewoon. Als ik eenmaal ben aangekleed, zal ik niets meer voelen.

En toen, omdat hij gezien had wat hij wilde, of omdat hij besloot dat het zich niet zou laten zien, wendde hij zijn schreden abrupt naar het pad, bijna struikelend, terwijl de struiken en laaghangende takken zich schielijk achter hem sloten tot hij niet meer zichtbaar was.

Ik begrijp nooit wat hij bedoelt, hij is gewoon nooit duidelijk. En wat hij verder ook over me kan zeggen, dat ben ik wel, altijd geweest ook – ik maak mezelf duidelijk. Wat ik wou en wat niet, ik zei het allemaal, het was niet mijn fout dat hij me niet geloofde, dat hij dacht dat ik iets anders bedoelde. Hij legde me woorden in de mond, in mijn gedachten. Het had niets met mij te maken. En het is jaren geleden, jaren, waarom dan in godsnaam die verwarring weer laten ontstaan? Waarom kan hij niet gewoon rustig hier zijn? Ik ben toch ook rustig.

De badkamer was vol van hem. Niet dat hij niet netjes was of niet behoorlijk achter zich opruimde, het was alleen dat zijn aanwezigheid onmiskenbaar was: in de extra handdoek die nog zwaar van water was, in de keurig dichtgeritste toilettas, in het natte plakken van het douchegordijn.

Maar niets is beter tegen de spanning dan een lekkere douche. Ze spoelde het bad schoon, regelde de temperatuur van de waterstraal – hij scheen het liever wat kouder te hebben dan zij – en stapte erin. *Ik was vergeten hoe het was. Een paar dagen*

met hem samen, een paar minuten met hem samen als hij een
slechte bui heeft, en ik krijg dat kriebelige gevoel boven mijn ogen.
En dan moet ik me douchen, om het weg te wassen. Nog een
wonder dat ik geen vliezen tussen mijn tenen had tegen de tijd dat
het afliep tussen ons.

En misschien heeft hij, toen hij zelf daarnet hier was, geprobeerd
om het ergste van mij weg te wassen. Misschien doen we het elkaar
gewoon aan.

Maar ik ben rustig. Ik zal rustig blijven.

Ze stond waarschijnlijk ongeveer waar hij gestaan had, net
zo naakt als hij geweest moest zijn.

O, daar zou hij wel raad mee weten: de subtekst en de gedach-
tekronkels, zo veel betekenissen dat het uiteindelijk helemaal niets
meer betekent.

Net als met de kaart – de onverklaarbare kaart – die hij niet
had hoeven sturen. Tien jaar lang was er niets gekomen met
Kerstmis, wat ze heel goed kon begrijpen: het grootste deel
van die tijd was ze immers met iemand anders getrouwd
geweest.

En dat was natuurlijk voorbestemd om een groot succes te
worden. Zes maanden nadat het afgelopen is met David trouw
ik, omdat ik eindelijk iemand gevonden heb die bij me past, of
genoeg bij me past, of met wie het tenminste eenvoudig is, en als we
trouwen zal het duren tot in der eeuwigheid, amen.

We trokken de deur van de slaapkamer achter ons dicht op onze
huwelijksnacht en ik kon nauwelijks ademhalen. Ik moest tegen
mijn blozende echtgenoot zeggen dat ik last van mijn maag had –
alles om er maar niet aan te moeten geloven, niet toen.

Wat, nu ik erover nadenk, ook aan David lag.

Ze had nog steeds geen idee hoe of waarom hij haar gezocht had. Maar wat ook de reden mocht zijn, in december
was zijn kaart gekomen: een nogal schamele kerstkaart van
bescheiden formaat. Zijn handschrift was er niet beter op

geworden, te oordelen naar het beetje dat hij boven en onder de gebruikelijke kerstwensen gekrabbeld had.

Sorry dat het zo lang heeft geduurd.

Alsof ze op hem gewacht had.

Ik wens je een gelukkig kerstfeest,
en hetzelfde voor het nieuwe jaar.
Dit is mijn nummer. Als je wilt, kun je me bellen.

'Als je wilt.' Dat was de manier waarop David zei wat hij wilde en wat hij vond dat zij ook moest willen.

Hij wist dat ik nieuwsgierig zou zijn – en alleen. Hij heeft het niet gezegd, maar hij moet gehoord hebben dat ik alleen was.

'Mijn god, wat een verrassing.' Alsof ze nooit opgehouden waren met elkaar te praten, alsof ze alleen maar even hadden ingeademd. 'Dus je doet het nog ook, je belt op. En ik ben nog thuis ook.' Het deed haar plezier dat ze hem van de wijs had gebracht. 'Mijn god... Sorry. Waar bel je vandaan? Ik was niet zeker van je adres...'

'Amerika.'

'Vakantie?'

'Nee, ik ben terug naar huis gegaan. Ik woon hier.' En een stilte is maar een stilte, maar ze herinnerde zich dat het was alsof hij zich gekrenkt voelde, en dus had ze eraan toegevoegd: 'Maar ze sturen mijn post door', alleen om het gat te vullen. 'Je hebt geluk gehad, ik denk dat ze er binnenkort mee stoppen. Ik ben vergeten voor hoe lang ik betaald heb.' En toen hij was blijven zwijgen: 'Het is een service. Snap je... je moet ervoor betalen. Ik krijg trouwens niet veel brieven meer daarvandaan. Of kaartjes.' En hij had haar naar zich toe getrokken door zo te blijven zwijgen, bijna alsof er niemand aan de lijn was, behalve dat ze het verschil kon merken, ze had hem gevoeld, geweten dat de afstand hem echt van zijn stuk had gebracht, dat maakte ze op uit de zachte onregelmatigheid van zijn ademhaling. 'Uh, ik weet het niet hoor, maar – heb je zin om te komen?' Ze had het alleen maar gezegd om aardig te zijn. 'Om langs te komen?' En omdat ze het gewild moest hebben. 'Zou je kunnen?' Het was vreemd dat ze niet had geweten dat ze het zou vragen.

'O, dat is... dat klinkt alsof het... alsof het heel slecht uit zou komen.'

'Slecht uit zou komen?' David was de kunst niet verleerd om haar het gevoel te geven dat ze onhandig was, overbodig. 'Ja, dat is natuurlijk ook zo. Ik werk freelance, dus vergeet ik dat andere mensen...'

'Nee, nee, nee. Ik bedoel ongelegen voor jou.' Ze had het slippen van de zenuwen gehoord onder zijn woorden – het was doorgaans eenvoudiger om hem de zenuwen te geven dan om hem tevreden te stellen. Hij had even gezwegen en had toen behoedzamer doorgepraat: 'Ik zou, misschien kan ik.... mijn vakantie is nog niet... in de zomer zou het beste zijn. Zou dat een goede tijd zijn?' Ze wilde dat hij tevreden was, daar wilde ze hem bij helpen.

'Dat zou een goede tijd zijn.'

'Zou dat een goede tijd zijn?'

'Ja. Een goede tijd. Ja.' En na een vreemd onbeholpen poging, hadden ze allebei meer dan tevreden geleken, gelukkig.

Maar ik heb hem niet gevraagd wat hij met een goede tijd bedoelde.

En tijdens de andere telefoongesprekken waarin ze de zaken geregeld hadden, hadden ze er geen van tweeën bij stilgestaan waarom ze hem had uitgenodigd, of waarom hij erop was ingegaan. Sarah nam aan dat ze geen van beiden bij zichzelf te rade durfden te gaan.

Moet ik me kleden alsof het me kan schelen wat hij denkt, of iets gemakkelijks aantrekken, of wat?

Ze liet het water lange tijd op zich neerkomen: het was niet zo troostrijk als ze gehoopt had.

Wat maakt het ook uit. Over vier dagen is hij weg.

En ook dat maakt niet uit.

Toen David terugkwam, had ze het oude hemd en de spijkerbroek aangetrokken die ze droeg als ze naar het bos ging, en ze zat naar de radio te luisteren. Een paar kilometer verderop had de storm een aantal elektriciteitskabels verwoest, het dak van iemands zomerhuisje was verpletterd door een boom, maar er was niemand gewond geraakt, hadden ze gezegd.

'We hebben geluk gehad.'

David stond in de keuken, met zijn hoofd naar de kraan gebogen, en hij dronk van het stromende water. 'Wat?' Hij draaide zich naar haar om, zijn lippen en zijn kin nat, in zijn ogen een vaag schuldbesef. 'Sorry. Ik had een glas moeten gebruiken.' De hitte van de wandeling had zijn gezicht opener gemaakt, jong – zoals het eruit had gezien toen ze hem had opgehaald van het vliegveld, toen hij haar gezien had en zwaaide, haar apart zette van de menigte als een vrouw die iemand kwam ophalen, een vrouw die snel weer zou vertrekken om haar rijke, aangename leven voort te zetten. 'Sorry.' Toen had ze gedacht dat alles goed zou komen, dat hij het niet zou verpesten en zij ook niet.

'Je hoeft je niet te verontschuldigen. Zo hebben we minder af te wassen. Was het een mooie wandeling?'

'Mm.' Hij hield een hand onder de kraan, liet hem afkoelen en veegde met de natte hand over zijn voorhoofd, zijn kaak, de zijkant van zijn keel. 'Maar warm.' Vocht verzamelde zich in zijn ooghoek en liep naar beneden.

'Heb je iets gezien dat de moeite waard was?'

Hij boog van haar weg en draaide de kraan dicht. 'Ik heb van alles gezien.' Toen keerde hij haar de rug toe en leunde op het aanrechtblad. Aan zijn korte kapsel was goed te zien dat hij grijs werd. De aanzet van het haar in zijn nek was wit.

Toch kan een man daarmee wegkomen – voor een vrouw is het geen gezicht. Ik kan me niet herinneren wanneer ik ben begonnen het te verven. Hij zal het pakje wel gezien hebben in de badkamer. Niet dat het me wat kan schelen.

'Nog iets bijzonders gezien?' Ze probeerde de vraag terloops te laten klinken, alsof hij kon kiezen hoe hij hem wilde opvatten en dat het haar niet kon schelen.

Deze keer zei hij het mompelend, alsof hij het met tegenzin herhaalde: 'Ik heb van alles gezien.' Hij liet zijn gewicht op één heup rusten. 'Maar de helft van de tijd heb ik geen idee waar ik naar kijk, misschien nog wel meer.'

Ze zette een stap in zijn richting en nam de beslissing: 'Dat komt doordat je in het buitenland bent.'

'Help me dan.' Iets in de manier waarop hij het vroeg maakte dat het licht anders leek, gevaarlijk.

Ze zette opnieuw een stap en ze legde een hand op zijn schouders.

'Niet doen.' Maar hij verroerde zich niet en hij hield haar niet tegen.

'Je vroeg me om je te helpen.'

'Maar dit helpt niet.' Hij haalde een schouder op, hield zijn hoofd scheef en liet de rand van zijn kin op de vingers van haar linkerhand rusten. 'Dan weet ik niet meer waar ik ben.'

'Je bent hier.'

'Het helpt niet.'

Zo bleven ze staan zonder te verroeren; Sarah voelde de klamheid van zijn huid, de kleine spiertrekking als hij slikte, de vlakke hitte van zijn schouders, stijf van een weerstand waar ze geen invloed op had, een gebrek aan vertrouwen.

Uiteindelijk zuchtte hij en rechtte zijn hals. Ze trok haar handen terug, vochtig nu en lichtelijk belast met de echo van zijn vorm, het negatief van de aanraking.

Ze zullen naar hem ruiken, maar als ik ze gewassen heb niet meer.

David draaide zich om en keek haar aan. 'Sorry.'

'Uh huh.'

'Nee, ik meen het: ik had niet moeten...'

'Ik ook niet.'

Nu zag hij er erg moe uit, maar ze kon niet uitmaken of hij daarnaast ook nog boos, vrolijk, verdrietig, onverschillig of tevreden was. Ze wist zeker dat het volkomen ongepast zou zijn om hem te kussen, maar als hij niet snel wegliep, zou ze desondanks een poging wagen.

'Waarom probeer je niet nog wat te slapen, David?'

'Omdat ik geen...' Hij onderbrak zichzelf, trok zijn gezicht in een halve grijns en schudde zijn hoofd. 'Nee, je hebt gelijk. Ik sta een beetje wankel op mijn benen. Misschien gaat het beter als ik nog een paar uurtjes slaap neem.'

'Gaat het niet goed op het ogenblik?' Ze wist dat ze er niet naar moest vragen – ze wilde niet eens antwoord – zekerheid, als ze erdoor werd ingesloten, vond ze veel beangstigender dan twijfel.

'Gaat het niet goed...?' Hij wreef in zijn ogen. 'Ik weet het niet eigenlijk... Maar ik ga nog wat slapen. Dat is een goed idee.' Hij knikte naar haar, even was zijn gezicht weerloos, en ze wilde zijn huid weer voelen, gestoken door de afwezigheid ervan.

Toen hij weer wakker was en naar beneden kwam, tegen vijven, bakte ze opnieuw bacon met roerei voor hen allebei, en samen aten ze bijna een heel geroosterd brood.

'O, dat smaakt naar meer.' Hij veegde zijn bord schoon met een koude snee geroosterd brood op een manier die suggereerde dat ze wellicht nog iets zou moeten klaarmaken. 'Ik was vergeten dat we de hele dag nog niet gegeten hebben.' Hij keek haar even vragend aan. 'Of jij moet wat gegeten hebben terwijl ik weg was.'

'Ik heb niets gegeten.'

'Ik ben blij dat ik onmisbaar ben.' Hij bestudeerde zijn gevouwen boterham.

'Het was te warm om te eten.'

Hij liet een klein, vreugdeloos lachje ontsnappen, en Sarah begreep dat ze opnieuw ruzie zouden maken als ze het niet wat verstandiger aanpakte.

Alleen, als we niet ruziemaken, dan moet ik – moeten we allebei – ik weet het niet. Ik wil hem geen pijn doen. Ik wil mezelf geen pijn doen.

'David? Ik wil graag samen iets doen.'

'Wat?'

Hij keek haar aan met een benauwdheid die bijna beledigend was, maar ze beantwoordde alleen maar zijn blik en dwong zichzelf rustig te blijven.

'Ik wil er graag even samen tussenuit.'

'Waar naartoe?' In zijn stem klonk blijdschap noch paniek.

'Gewoon naar buiten, naar het bos. Ik wil je graag...' Ze kon moeilijk zeggen: ik wil je graag iets laten zien – ze zou alleen maar lachen, of hij zou het doen, in ieder geval zou het nergens op uitlopen. 'Ik wil graag bewijzen dat ik veranderd ben.'

'In het bos.'

'Ik ben begonnen met spoorzoeken – dieren volgen, snap je? Ik werk meestal 's avonds, gegevens verzamelen en versturen per e-mail, dus heb ik de dagen voor mezelf.'

'En dan doe je aan *spoorzoeken*?' Hij maakte zich geen

zorgen meer, dus kon hij haar belachelijk maken: daar was hij goed in.

'Je zult het zien. Trek je schoenen aan en ik laat het je zien.' Sarah was niet zo goed in spoorzoeken als ze had kunnen zijn: ze kon niet geruisloos over droge bladeren lopen, of het spoor van een opossum van dat van een jonge wasbeer onderscheiden, niets van dat alles.

Maar ik kan hem best laten zien wat ik heb. Waarom niet.

Ze keek hem na toen hij vertrok om te doen wat ze gevraagd had. Hij maakte niet de indruk dat hij angstig was, hoewel ze besefte dat ze het zelf wel was.

Maar waarom niet, tenslotte.

Toen ze zich van het huis verwijderen, begon het zonlicht al roder te worden. Het maakte dat ze hun ogen moesten afschermen, legde een vers weefsel van hitte op hun gezicht en wierp de schaduwen onder een lange, lage hoek over het pad. Ze wist dat ze niet stil genoeg liepen, maar dat was geen probleem, want ze zouden snel gaan zitten, als ze bij het stroompje kwamen, en het bos zou tot rust komen en aan hen wennen.

'Verstop je bij het water en er komt altijd wel iets drinken. Je wacht tot hun behoeften ze naar je toe drijven.'

'Hoe lang moeten we wachten?' Hij fluisterde omdat zij dat ook gedaan had.

'Ik weet het niet – tot de behoefte in ze opkomt.' Het was goed om te fluisteren, schouder aan schouder, hurkend in elkaars hitte.

'Het zal snel donker zijn.'

'Ik kan de weg terugvinden na zonsondergang.' Dat was niet gelogen – ze had het een keer gedaan. Maar toen had ze de zaklamp bij zich gehad en die had ze nu niet. 'Als we onze mond houden en ons niet verroeren, zullen de dieren komen.'

'Wat voor dieren?'

'Herten gaan 's avonds op pad.' Met witte staarten, ze waren prachtig, maar David en zij hadden zich niet goed genoeg verstopt om ze dichtbij te laten komen. 'Vogels... ik weet het niet. Het is altijd weer anders. Ooit kwam er een bosmarmot over die rotsen: we zagen elkaar en bevroren allebei. Bosmarmotten kunnen erg op rotsen lijken, ze hebben de juiste kleur, dus draaide hij zijn kop opzij en maakte zich plat, en ik had nooit kunnen raden dat hij er was als ik het niet geweten had.' Ze praatte te veel terwijl ze niets hoorde te zeggen, maar David luisterde en het bos rook naar leven en het was koeler hier, in de schaduw, een goede plek voor hen tweeën, dus bleef ze praten. 'Iedere tien minuten of zo verlegde hij zijn pootjes, of hij ging rechtop zitten om zijn snor te poetsen en eens goed rond te kijken, en ik zat erbij en keek terug. En dan werd hij ineens weer een rots. Dat hebben we zo bijna een uur volgehouden, misschien nog wel langer, hij eerst bang maar nieuwsgierig en daarna nieuwsgierig maar bang.'

'Hoe weet je dat het een hij was?'

'Geraden.'

'Ik dacht dat de dieren niet mochten weten dat je zat te kijken.'

'Soms weten ze het maar stoort het ze niet. Het is mogelijk om samen te zijn zonder verstoring.'

David leunde een beetje achterover om het zich makkelijk te maken en knikte neutraal. Ze wist niets meer te zeggen.

Langzaam loste de stilte van het bos op in het boren van een sapspecht, de schreeuw van een blauwe gaai, de golvende sprongen van eekhoorns door het struikgewas, het geritsel van een gebroken tak die eindelijk losliet. Ze was dol op deze beklemming die haar fixeerde, terwijl de ene roep de volgende uitlokte en op iedere beweging een reactie volgde zonder subtekst of ambivalentie.

'Waarom heb je het gedaan?'

Hij liet haar schrikken, hoewel hij heel zacht praatte.

'Gedaan...?'

'Waarom heb je het gedaan? Je zei dat je moest nadenken, dat je alleen wat tijd nodig had om na te denken, en toen was je met een ander, was je getróúwd met een ander. Kende je hem al of...? Ik snapte niet...'

'Ik kende hem niet, hij was gewoon iemand anders dan jij. Het ging niet tussen ons, David.' Hoewel dit niet was wat ze hem had willen vertellen, maar hij had haar boos gemaakt en nu was het eruit. 'Het spijt me, maar...'

'Het spijt jóú? Ik stond bij de kerk, zo heeft het mij gespeten. Ik wilde het zien, zodat ik het zou geloven. Je stapte uit de auto...' Hij slikte, fronste zijn wenkbrauwen. 'Ik ben weggegaan. Maar ik... Ik weet niet waarom ik nu hier ben.'

'En ik weet niet waarom ik je heb gevraagd om te komen.'

En het zou goed zijn geweest om op dit punt te lachen, om de sfeer minder geladen te maken. Ze hadden zichzelf immers zojuist pijn gedaan, met feilloos gedempte stemmen uit consideratie voor de dieren, die hen niettemin gehoord moesten hebben en uit de buurt waren gebleven. Hun consideratie voor elkaar was natuurlijk minder volmaakt.

David trok aan een groen twijgje, brak het af. 'Luister, vind je het erg als we niet de hele nacht hier blijven zitten. Ik word helemaal beurs gestoken door de vliegen en ik ben niet in de stemming.'

'Sorry dat ik je meegenomen heb.'

'Nee, het was een prima idee.' Hij glimlachte maar niet voor haar. 'Het zou prachtig zijn geweest als we twee andere mensen waren.'

'Maar dat zijn we niet.'

'Wat?'

'Niets.' Sarah stond op en begon hem voor te gaan. 'Kom op. Dan zijn we in ieder geval op tijd voor de zonsondergang.'

'Mooi, dan is de dag toch nog niet helemaal verknoeid.'

'Net als ik dacht dat het alleen nog maar erger kon worden als je besloot om sarcastisch te worden.'

'Sarah, ik...'

Maar ze greep hem bij zijn arm en trok er hard aan. 'Dit moet je zien.'

'O, in godsnaam... wat nu weer?'

Sarah voelde een vreemde opluchting: omdat alles vandaag al zo fout was gegaan, kon wat ze nu nog deed geen gewicht meer in de schaal leggen, dus kon ze eenvoudigweg doen wat ze wilde, omdat ze er zin in had. Ze ging op haar knieën zitten, en hoewel ze het niet verwacht had, knielde hij haast haar neer en herhaalde op vriendelijker toon: 'Wat nu weer?'

'Zie je de bladeren liggen van de laatste storm?'

'Ik denk het wel, ja. De dode bladeren.'

'Ze vormen een soort laag en in die laag zitten kleine kuiltjes.' Ze was er trots op, ze waren niet makkelijk te ontdekken, niet vanboven, niet als je liep, niet in het gezelschap van een man die je een mep zou willen verkopen. 'En als je ze optilt...' Ze pelde een deel van de bladerdeken weg, het scheurde los als een stuk vochtig, zwaar papier. 'Ja, daar heb je het.' Het was fijn om af en toe eens gelijk te hebben.

'Daar heb je het?'

Het was een afdruk, de gespleten indruk van de hoef van een hert, scherp afgetekend in de modder. 'Als je wat dichterbij komt...'

'O ja.' En het leek echt alsof het hem plezier deed, dat hij dit wilde.

'Ga jij maar eerst dan.'

'Eerst waarmee?'

'Met wat ik je wil laten zien.' Ze nam hem bij de pols, 'Leg je', en ze vouwde al zijn vingers, op de duim en wijsvinger na, in zijn handpalm. 'Zo ja...' Ze liet hem los. 'En dan zet je je vingers erin.'

Ze keek toe hoe hij zijn vingers aan weerszijden van de klieving in de modder zette, daar waar de hoef opengespleten was.

'Is het niet prachtig? Het doet je denken aan het moment waarop dat hert de grond hier beroerd heeft en weer verder ging. Je hand zal een beetje modderig zijn.'

'Dat geeft niet.' Hij bleef even zo zitten, geconcentreerd op zijn hand, en trok hem toen terug. 'Jouw beurt.'

Sarah stak haar hand uit en plaatste haar vingers in de afdruk terwijl David wachtte. Toen ze de plek aanraakte, merkte ze het meteen, ze moest bijna lachen.

'Wat is er?'

'Het is warm waar jij geweest bent. Normaal zijn ze koud.'

'Is dat een verbetering?'

'Ja.'

Het laatste beetje zon was in de bladeren boven hen gedrongen en iedere tak baadde in een groene, geaderde schittering.

David schraapte zijn keel. 'Zullen we nu naar huis gaan?'

'Als je wilt.'

Ze stonden op en wankelden even.

'David?'

'Ja?'

'Ik dacht dat het voorbij was tussen ons. Toen ik terug wilde komen en jij...'

'Ik weet het.' Hij bracht met beide handen haar hand omhoog. 'Er zit vuil onder je nagels.'

'Daar kan ik mee leven.'

'Of ik kan ze schoonlikken.' Hij ontmoette haar blik en schoot onmiddellijk in de lach. 'Jezus, geen goed idee. Zoiets had ik niet moeten suggereren. Het is niet... gepast. De hele tijd dat ik hier ben weet ik al niet wat ik moet zeggen.'

'Had dát dan gezegd.' En ze dwong zich om meteen te lachen en haar andere hand omhoog te brengen om die van hem te ontmoeten. 'Ik ook niet.'

'Een delicate kwestie.'

'Om het voorzichtig te zeggen.'

Het briesje wakkerde aan en maakte het zilver onder de bladeren zichtbaar.

'Het spijt me, David. Ik heb een fout gemaakt.'

'Ja. Ik heb er zelf ook een gemaakt.'

Ze lieten hun handen uiteengaan en begonnen te lopen.

David wreef met zijn schone knokkels over haar arm. 'Maar ik zal je iets zeggen – ik heb niet veel verstand van de natuur, maar toch geloof ik dat we vanavond weer onweer krijgen, eigenlijk weet ik absoluut zeker van dat we vannacht opnieuw storm zullen hebben.'

'Zou best kunnen. De bladeren draaien.'

'Dan staat het vast.' Hij liet een paar passen verstrijken. 'Dus moeten we samen blijven.'

'Voor deze nacht.' Ze zou hem snel kussen.

Echt waar, geen vergissing.

En allebei wisten ze dat de ander er was, dat de behoefte zich opende om hen weerloos te maken en over te halen, kwaad kon het niet. 'Dat is misschien maar het beste. Voor het geval je besluit om bang te worden, of gelukkig. Of wat dan ook.' Hij trok aan een grasaar terwijl ze langswandelden. 'Voor het geval je iets besluit.'

'Wat ieder moment kan gebeuren.' Terwijl het bos aan zijn avondlied begon, met naast hen de krachtige snoepgeur van rododendron, het zachte gemor van late bijen, nog steeds in

de weer bij de bloemen, en David die haar nader kwam, stap
voor stap, de beste verwachting voor hen samen en bijna
ingelost. 'Ieder moment.' En ze liet hem toe: zoals hij geweest was, zoals hij straks weer zou zijn, zoals zij met hem
zou zijn: ze stond alles toe, ze maakte zich gewillig.

'Ik weet het, schat.'

'Mooi. Dan is het in orde. Dan is het goed.'

A.L. Kennedy bij De Geus

Alles wat je nodig hebt

Op een eiland voor de kust van Wales hebben zich zes schrijvers gevestigd. Ieder van hen is op zoek naar een vorm van spiritualiteit. Leider van de groep is Joe Christopher, wiens initialen J.C. voor zich spreken. Tot de groep wendt zich Mary Lamb, een jonge vrouw die de ambitie heeft schrijfster te worden. Ze krijgt als mentor Nathan Staples toegewezen, die zijn beste tijd als schrijver heeft gehad. De ontmoeting tussen Mary en Nathan groeit uit tot een bijzondere relatie.

De smaak van het paradijs

Hannah Luckraft kent de smaak van het paradijs. Het is verstopt in een vredig, open landschap, het smaakt zoet als de huid van haar minnaar, het smaakt als iedere borrel die ze ooit heeft gedronken, het blijkt echter altijd maar van korte duur.

Nu ze bijna veertig is en nog steeds met lege handen staat, begint het zelfs Hannah op te vallen dat haar leefstijl niet eindeloos vol te houden is: haar onderbewuste begint zich tegen haar te keren en haar ziel is misschien lichtelijk onwel. Ze heeft haar familie gekwetst, haar vrienden zijn vreemde snuiters, haar lichaam is niet meer zo betrouwbaar als het was. Robert, een losgeslagen tandarts, lijkt haar het soort liefde te kunnen geven dat ze begrijpt, maar waarschijnlijker is dat ook hij een symptoom is van de ziekte waarvan ze moet genezen.